G000088647

COLLECTION FOLIO

Denis Grozdanovitch

Petit éloge du temps comme il va

Gallimard

Dans les livres de Denis Grozdanovitch, sportif professionnel repenti et rat de bibliothèque impénitent, il est non seulement question du dilettantisme et de la désinvolture, du temps et de la lenteur, de la liberté et du bonheur... mais aussi des chats, des tortues et des Chinois. En 2002, son *Petit traité de désinvolture* obtient le prix de la Société des gens de lettres et devient un livre culte. Denis Grozdanovitch est aussi l'auteur, notamment, de : *Rêveurs et nageurs*, prix des Librairies initiales 2005 ; *Brefs aperçus sur l'éternel féminin*, prix Alexandre-Vialatte 2006 ; *L'art de prendre la balle au bond* ; *L'art difficile de ne presque rien faire* ; *La puissance discrète du hasard*. Il partage aujourd'hui sa vie entre Paris et la Nièvre.

Découvrez, lisez ou relisez les livres de Denis Grozdanovitch :

L'ART DIFFICILE DE NE PRESQUE RIEN FAIRE (Folio n° 5112)

LA PUISSANCE DISCRÈTE DU HASARD (Folio n° 5771)

À Milan et Vadim,
en espérant qu'ils sauront s'adapter
aux temps qui viennent

« On dirait que le temps a changé. » Ces mots me remplirent de joie, comme si la vie profonde, le surgissement de combinaisons différentes qu'ils impliquaient dans la nature, devaient annoncer d'autres changements, ceux-là se produisant dans ma vie, et y créer des possibilités nouvelles.

MARCEL PROUST
Sodome et Gomorrhe

Le temps qu'il fait (Ébauche d'une météorologie des états d'âme)

Oui, messieurs. Il fait mauvais temps et nous attendons qu'il change. Mais il vaut mieux qu'il fasse mauvais temps que rien du tout et que nous attendions au lieu de ne rien attendre.

Une vieille femme russe[1]

S'est-on assez interrogé sur la raison qui fait qu'en français le même mot désigne les conditions météorologiques et la durée des heures qui s'écoulent ? Pour ma part, je me suis souvent demandé si le temps qu'il fait et le temps qui passe ne dépendaient pas d'une même instance mystérieuse et ambiguë, tel le dieu Janus bifrons (qui n'a qu'une seule tête mais deux visages) que les Romains révéraient à la fois comme le gardien des portes et des seuils et comme l'in-

1. Propos rapportés par Bertrand Russell et cités par Enrique Vila-Matas dans son ouvrage intitulé *Perdre des théories*, Christian Bourgois, 2010.

termédiaire entre les hommes et les dieux. Or, repensant à cela récemment, j'ai encore songé que si le temps était semblable à cette divinité ambivalente, peut-être était-il devenu opportun de nous remémorer que, dans la mythologie dont il provient, Janus bifrons demeure éternellement assis en équilibre instable sur la chaise de l'oubli. Nous souvenir, en effet, de cet équilibre instable qui conditionne nos existences pourrait peut-être alors — qui sait ? — nous éviter de nous enfoncer tête baissée dans une attitude délibérément *intempestive*, ainsi qu'il semble bien, hélas, que nous le fassions de nos jours avec une inconséquente légèreté, courant inconsidérément le risque de déstabiliser la fatidique chaise et, du même coup, de précipiter notre fragile humanité civilisée dans le gouffre insondable du Léthé...

À vrai dire, il m'a toujours semblé que la météorologie climatique induisait en nous-mêmes, selon les variations de l'atmosphère, une météorologie plus subtile : celle de nos états d'âme. La joie ou la gaieté, la tristesse ou la mélancolie, l'impatience, l'humeur vagabonde ou la paresse de certains jours paraissent bien en effet (du moins en majeure partie) être reliées au temps qu'il fait.

Personnellement, lorsque je m'éveille le matin, échapper aux imbroglios extravagants et souvent angoissants de mes rêves nocturnes, retrouver un semblant de liberté mentale et pouvoir fonder sur la relative stabilité de la conscience diurne me sont toujours apparus comme un bonheur insigne : celui d'être encore mêlé à la joyeuse diversité de l'existence. Là encore, la mythologie antique a sans doute beaucoup à nous apprendre : les Parques, que les anciens vénéraient en tant que divinités maîtresses du sort des hommes, sont filles de la nécessité et du destin. Aussi vieilles que la Nuit, la Terre et le Ciel, les trois sœurs, qui se nomment Clotho, Lachésis et Atropos, habitent les régions olympiques où elles sont voisines du séjour des Heures. Elles y veillent non seulement sur nos destins, mais aussi sur les mouvements des sphères célestes et sur l'harmonie du monde. Immuables depuis la nuit des temps, elles dévident le fil mystérieux de chaque existence ; rien ne peut les empêcher d'en interrompre le cours au moment où elles l'ont décidé et c'est Atropos « l'inflexible » qui a pour fonction de couper le fil à l'instant décisif. Cependant, il faut savoir qu'elles président également à la naissance des hommes et guident avec zèle vers la lumière les héros assez audacieux pour avoir osé pénétrer le Tartare — c'est-à-dire le lieu où se situaient les fondements obscurs et plus ou moins chaotiques du monde terrestre. Aussi, concernant ma petite personne, ai-je le plaisir de constater, chaque matin, au sortir de mes songes nocturnes, que non seulement Atropos m'accorde un sursis supplémentaire, mais encore que les trois sœurs ont bien voulu me tirer une fois de plus vers la lumière du jour présent, hors du chaos ténébreux de mon inconscient onirique.

Pour finir, écarter les rideaux, apercevoir les

prémices du temps probable, me raser en observant mon visage dans la glace, y surprendre mon humeur du jour et en déduire la qualité des heures qui vont suivre est une passionnante aventure quotidienne — perpétrée sous les cieux changeants de la vieille Europe, dont les rapides sautes d'humeur s'accordent si bien à une météorologie des états d'âme déjà sujette par elle-même aux surprises et aux rebondissements.

Maintenant, chacun d'entre nous a pu faire l'expérience de se retrouver dans un lieu exigu, un ascenseur par exemple, en compagnie d'un inconnu et d'être acculé à entamer le chapitre du « temps qu'il fait », lequel commande, presque à coup sûr, de collaborer à l'horripilante doxa du « beau temps obligatoire ». Soucieux qu'on ne puisse deviner d'emblée le mélancolique atrabilaire qui sommeille en moi sous des dehors affables, j'ai mis au point quelques réponses tout aussi stéréotypées mais discrètement subversives.

Lorsqu'il pleut à verse et que mon vis-à-vis bougonne dans sa barbe : « Quel sale temps ! », je réponds : « Oui mais, en même temps, on en avait bien besoin pour les cultures ! » (ce qui est généralement le cas), ou bien encore, surtout si je suis à la campagne : « Ah oui, mais cette après-midi, je vais aux escargots ! » (ce qui est très rarement le cas). Si, par contre, ledit beau temps est avéré et que mon interlocuteur arbore une mine réjouie en déclarant : « Ah ! Aujourd'hui, on est gâté : quel temps merveilleux ! », je prends un air soucieux et je réponds : « Oui, mais c'est peut-être le début de la sécheresse » (ce qui est d'une parfaite mauvaise foi après de longues semaines de pluie ininterrompue).

On l'aura deviné, je me range du côté de ces hurluberlus qui s'obstinent, de façon quasi mystique, à révérer les alternances des variations atmosphériques, les caprices de la météo, la variété des saisons, les divers aspects d'un ciel nuageux et venteux, le romantisme de la tempête, la lumière irisée des jours de bruine ou de brume, l'émerveillement préservé de l'enfance devant l'arrivée impondérable de la neige et à priser jusqu'aux subtiles potentialités d'un jour de pluie tenace. J'ai tendance, en outre, par simple goût de la singularité excentrique peut-être, à souscrire à la profession de foi de Rimbaud s'écriant au vu de la bonne humeur consensuelle suscitée par les jours radieux : « Mais de voir que le beau temps est dans les intérêts de chacun [...], je hais l'été[1] ! »

Cependant, si j'accepte avec impartialité « le temps qu'il fait » au sens atmosphérique du terme, il n'en va pas de même avec « le temps qui *nous* est fait », c'est-à-dire avec cette notion de la durée existentielle que la propagande du monde industriel et consumériste nous promulgue en permanence à travers les médias, tous béatement inféodés, on le sait, à la vitesse mécanique, à « l'urgence de vivre » et au diktat du renouvellement permanent.

1. Arthur Rimbaud, lettre à Ernest Delahaye, juin 1872, *Œuvres complètes*, Gallimard, « Bibliothèque de la Pléiade », 2009.

C'est pourquoi je tenterai plutôt, en ce qui me concerne, de vanter aux quelques réfractaires qui prennent la peine de me lire ces divines suspensions temporelles que nous allouent parfois lesdits *temps morts*, c'est-à-dire ces merveilleuses occasions qui nous sont parfois octroyées de nous soustraire au stress de la vie trépidante d'aujourd'hui, occasions qui s'offrent à nous dès que des contretemps surviennent ; à l'occasion, par exemple, de certaines intempéries majeures, de quelques jours de grève, d'arrêts de travail pour une maladie bénigne et même — pourquoi pas ? — d'une mise au chômage inattendue ; bref, tous ces moments d'attente, de silence, de calme, de léger ennui et d'indétermination où il ne se passe rien de phénoménal, mais où l'on peut encore, en revanche, se sentir pleinement exister parce que la course des heures s'y est soudain alentie à la façon dont un fleuve tumultueux perd de sa virulence au creux d'une anse oubliée.

Voici ce que nous dit à ce propos le psychanalyste Charles Baudouin :

> Quand il nous arrive de devoir renoncer à la vitesse, par exemple de devoir abandonner l'auto pour la marche, nous sommes frappés de constater comme les sensations, moins nombreuses, sont redevenues par contre plus denses, plus réelles, plus riches, et nous ne sommes plus sûrs de n'avoir pas, tout compte fait, gagné au change. Elles ont perdu en quantité, mais elles ont repris une dimension de plus. Elles nous sont moins jetées aux yeux, comme poudre et confettis, mais nous les tenons mieux. « Un tiens vaut, nous dit-on, mieux que deux tu l'auras. » Or, les sensations multipliées par la vitesse ne sont-elles pas de perpétuels « tu l'auras » ou « tu pourrais l'avoir », que nous ne tenons jamais ?

Cela rejoint la remarque que nous faisions un jour sur ces vies recluses du couvent ou de l'hôpital, ces vies sans événements à ce qu'il semble, mais où aussitôt les plus menus incidents font figure d'événements, comme un petit bruit dans le silence[1].

Les longues pluies remontées de l'enfance...

> *Il y a, pendant la pluie, une certaine obscurité qui allonge tous les objets. Elle cause une sorte de recueillement qui rend l'âme plus sensible.*
>
> Joseph Joubert[2]

Nous habitions durant mon enfance, ma famille et moi, une maison qui surplombait une vaste prairie en bordure de Seine et, aussi loin que je remonte dans mes souvenirs, je me vois planté là derrière une vitre à contempler les régiments de la pluie qui assaillent les arbres, couchent les hautes herbes, puis flagellent avec violence la surface du fleuve en ébullition...

Dans ma mémoire, ce souvenir s'associe à l'illustration d'un livre anglais (qui avait appartenu à ma mère durant sa propre enfance londonienne) où, derrière une fenêtre constellée de fines gouttes, l'on apercevait le visage halluciné d'un gamin en train d'observer les hautes

1. Charles Baudouin, *Le mythe du moderne*, Éditions du Mont-Blanc, 1946.
2. Joseph Joubert, *Pensées*, tome I, 1824.

colonnes de la pluie s'abattant sur les frondaisons d'un parc. À cette époque déjà, cette image me fascinait et je ne pouvais manquer de m'identifier à ce personnage. À bien y réfléchir d'ailleurs, je pense que la prosodie anglo-saxonne de la légende qui accompagnait l'image contribuait pour une large part à ma fascination. Celle-ci livrait une formule littéralement fabuleuse à mes oreilles de dix ans : *endless rains*...

Je demeurais donc, au sein de ces divines suspensions de l'enfance, à longuement regarder pleuvoir sur la prairie et sur le fleuve, ne manquant pas de noter combien la présence des fines rayures hachurant l'espace (celles que je devais retrouver plus tard sur les estampes japonaises d'Hiroshige) soulignait la brillance inaccoutumée des couleurs du paysage. C'est, d'ailleurs, par un jour de pluie tout semblable que pour la première fois mon père avait attiré mon attention sur ce phénomène. Tandis que, tous deux protégés par son grand parapluie-ombrelle (dévolu à ses séances de peinture sur le motif), je l'observais en train d'exécuter avec sa virtuosité habituelle une aquarelle sous l'averse, il m'avait fait remarquer à quel point sous la pluie les couleurs s'approfondissaient alors qu'elles étaient aplanies par le grand soleil. Et si par la suite, avait-il alors ajouté, il devait m'advenir, ce qu'il souhaitait vivement, de fréquenter les musées (cela avait toujours été sa méthode d'éducation que de prononcer des discours qui dépassaient un tant soit peu ma compréhension), j'aurais sans doute tout loisir d'admirer ce que les peintres anglais dits préraphaélites avaient su tirer de ce phénomène atmosphérique consubstantiel à leur climat !

Ce n'était pas seulement pour la peinture que mon père affectionnait les jours de pluie durant les fins de semaine ou en vacances, mais aussi pour ce fait indéniable que « ça mordait » mieux à la pêche. Par conséquent, par ces jours de prétendu mauvais temps, il manquait rarement d'emporter, en sus de sa boîte d'aquarelle, sa canne et ses hameçons, passant, selon les circonstances et selon sa formule, d'un « sport » à l'autre ! Il avait en effet toujours prétendu que l'aquarelle, qui nécessitait rapidité et précision, tenait plus d'un sport que d'une quelconque activité artistique. Mon père prônait la souplesse et l'esprit d'à-propos, n'ayant jamais trop d'ironie en réserve pour fustiger l'inadaptation obstinée qui lui paraissait caractériser la plupart de ses contemporains.

Il faut préciser que la première de ses passions avait toujours été sans conteste le tennis sur terre battue. Or, en ce qui concernait la terre battue, impraticable une fois inondée (au risque de détériorer le terrain et les cordages de nos raquettes qui, à cette époque, étaient en boyaux[1]), la pluie n'était pas la bienvenue. Elle nous condamnait à d'interminables attentes

1. Les boyaux ne résistent pas à l'humidité. Plus tard, le perfectionnement de cordages en nylon — devenus presque aussi souples que le boyau — permit de jouer sous une pluie battante ; à cette restriction près, toutefois, que les balles étaient vite rendues impraticables, et le restaient d'ailleurs définitivement après une imprégnation trop prolongée...

dans le club-house, à scruter le ciel et à guetter les éclaircies. Aussi mon père, dès qu'il était avéré que le temps avait résolument tourné à la pluie pour la journée entière, partait pour ses séances picturales et halieutiques, aussi content, après tout, d'ajouter un nouveau paysage à sa collection et de rapporter éventuellement une belle friture, qu'il l'eût été, par grand soleil, de terminer un long échange sur la brique pilée par une montée décisive au filet.

Pour ma part, imprégné très tôt de cette philosophie paternelle consistant essentiellement à prendre le temps « comme il vient », la pluie me libérait de la course aux vanités à laquelle, contemplatif contrarié que j'étais déjà sans le savoir, m'enchaînait le conformisme de la compétition. J'avais alors tout loisir de me livrer à des divertissements d'autant plus délicieux que je n'aurais su les prendre entièrement au sérieux (du moins à cette époque de ma vie...) : les jeux de cartes, de dés, le badinage avec les camarades, les échecs et le ping-pong.

Et puis surtout, lorsque la pluie avait commencé tôt le matin et menaçait de durer, il y avait les lectures ! Ces longues lectures des jours de pluie dans lesquelles on s'embarquait, ma sœur et moi, chacun à un bout de la pièce, nous adressant de temps à autre des commentaires sur nos émerveillements respectifs (que nous n'écoutions d'ailleurs qu'à demi, tellement nous étions « pris » par nos aventures livresques respectives), et qui demeurent pour moi l'un des cadeaux les plus somptueux que la vie m'ait offert !

Ces longues stations immergées dans l'intrigue d'un roman ou ces éblouissements extatiques provoqués par la lecture d'une série de poèmes transcendants — comme les découvertes précoces de Rimbaud, Baudelaire, Saint-John Perse, Valery Larbaud et Léon-Paul Fargue m'en fournirent l'occasion — me reviennent désormais à la mémoire comme l'assurance d'un éden onirique éternellement disponible. En outre, telle une petite musique d'accompagnement, il y avait ce tapotement de la pluie contre le carreau de la fenêtre ou sur le toit du grenier (où nous trouvions souvent refuge) qui venait manifester discrètement son amitié.

Proust souligne ce phénomène psychologique merveilleux qui veut qu'au sein de notre mémoire, nos lectures demeurent toujours associées au décor et à l'atmosphère où elles eurent lieu. Ce système d'échos, pour qui sait en jouir, est en effet un des grands plaisirs de la remémoration livresque. Or, de façon plus large encore, cette association synesthésique nous permet d'opérer un classement atmosphérique dans les souvenirs de nos lectures : celles de lumière basse, de grand soleil ou d'alternance de nuages et bien entendu — les plus « ravissantes » — celles des jours de longue pluie ou de tempête à l'abri d'un grenier.

La pluie, c'est indéniable, est propice au recueillement. La douce effervescence de la lecture peut s'y déployer en toute impunité. Ce recueillement, je l'ai souvent entendu dire et je l'éprouve pour moi-même, est aussi particulièrement propice au travail de celui qui tente de pourvoir au bonheur d'éventuels et futurs lecteurs : l'écrivain, lequel, à la faveur de cette pause, peut se livrer à sa marotte scribomaniaque sans craindre une remontée de la sourde culpabilité du non-agir.

Il y a de cela désormais près de trente ans, et pourtant je m'en souviens avec une précision surprenante, Judith et moi avons séjourné, durant l'été, dans une vieille bicoque familiale logée au cœur d'un minuscule hameau du Chinonais. À l'arrière de cette maison, s'ouvrait, tournée vers l'ouest, une petite terrasse — vestige d'une ancienne grange — couverte d'un auvent en tôle. Cette terrasse surplombait un vaste espace permettant d'apercevoir, à la limite des champs, l'orée de la forêt. Les intempéries arrivaient presque toujours de ce côté et je me souviens du plaisir que je pouvais ressentir — la plupart du temps en compagnie du chat assis à mes côtés — à regarder s'amonceler les nuages avant-coureurs, puis à contempler l'avancée des régiments serrés de la pluie.

Le ciel commençait à s'assombrir, les couleurs s'enfonçaient dans leur profonde et mystérieuse essence, un petit vent se levait, parcourant d'un frisson la végétation tout entière, et le monde paraissait se recueillir comme pour une cérémonie propitiatoire adressée au dieu Pan. Puis, au loin, par-dessus les frondaisons, on voyait s'avancer le rideau vaporeux de l'averse et les premières gouttes martelaient alors le toit de tôle, telles les notes éparses d'un prélude pour xylophone géant. Ensuite, à la manière d'une charge de cavalerie, la précipitation s'avançait rapidement dans notre direction, couchant les blés, criblant la végétation des talus, puis finissait par s'abattre sur nous. Je ressentais un extatique et ineffable bonheur à me tenir ainsi à cet endroit, bien protégé — seules quelques poussières d'eau venant effleurer mon visage —, à écouter le tambour polyphonique de la pluie sur le toit. Le fil intérieur de mes songeries se retendait alors jusqu'à ces mêmes instants de plénitude enfantine dans la maison de mes parents, au bord du fleuve… et il me semblait que le chat immobile, en posture de sphinx à mes côtés, était non seulement en parfaite empathie avec mes sensations mais encore, clignant doucement des yeux, les approuvait de son antique sagesse égyptienne.

Une fois la pluie bien établie, je rentrais à l'intérieur, retrouvais ma table de travail et me mettais à écrire avec une aisance qui me paraissait *découler* du rythme même des gouttes tambourinant sur le toit. Il me semblait que ce rythme s'imposait par mimétisme à mes doigts sur les touches et aboutissait à ce que les mots et les images s'enchaînent avec facilité, s'intégrant avec fluidité à l'éternel « cours des choses »…

Combien de pages n'ai-je pas écrites ainsi, durant ces années-là, en état de transe « déliquescente », porté par la sensation de flotter telle une plume dérivant sur le dos d'un fleuve ?

Il y avait aussi, dans l'enfance et durant nos *grandes vacances* de trois longs mois, les jours de tempête au bord de la mer.

Ces jours-là, les jeux de plage ainsi que les parties de tennis étant impossibles, toute la famille s'adonnait aux jeux de société (petits chevaux, belote, canasta, réussites, Monopoly, devinettes, mais aussi les échecs et les dames) et nous le faisions avec une telle passion qu'il nous arrivait bien souvent de manquer la réapparition du soleil et la reprise des ébats sportifs qu'ils étaient censés pallier. Ce dont j'aime à me souvenir est le bien-être que nous ressentions tous à faire exister cette joyeuse convivialité contre la pluie et sa menace corollaire (plus hypothétique que réelle, à vrai dire) : l'*épouvantable* ennui. De telles circonstances m'ont permis, dès l'enfance je crois, de deviner l'essence binaire des rythmes phénoménaux : l'ombre n'allait pas sans la lumière, le plaisir n'allait pas sans une dose — tempérée — de douleur, le bonheur sans l'ennui, le désir sans la satiété et le beau temps sans la pluie.

Il me revient d'ailleurs, de ces périodes de grandes vacances au bord de la mer, le souvenir d'une autre sorte d'extase, minime et intime, liée aux intempéries : le goût des gaufres ! Je ne sais pourquoi mais, dans ma mémoire, nous appréciions tout particulièrement, ma sœur et moi, les gaufres par jour de tempête. Lorsque nous allions attendre la confection de l'une d'entre elles par le marchand de gaufres jovial, nous pouvions, à travers le Plexiglas de l'auvent de son camion — réglementairement garé sur la digue qui faisait face à la plage —, apercevoir la couleur sulfureuse de la mer et du ciel et les énormes vagues se chevauchant l'une l'autre comme pour un ultime assaut vengeur. Il n'en était pourtant rien et, comme si elles avaient soudain prêté allégeance à la hiératique armée des pins qui semblaient les attendre de pied ferme derrière les dunes, ces furies poussées par le vent déchaîné s'aplatissaient en bouillonnant sur le rivage et seuls quelques grains de sable et quelques embruns volatils venaient humecter et picoter nos visages. J'ai encore le souvenir que la mince protection du Plexiglas s'alliait à l'odeur de la pâte grésillant dans le moule pour nous faire éprouver un sentiment de confort existentiel tout bonnement indestructible — paradisiaque ! — et tel que, par la suite, la vie n'en offrirait que rarement l'équivalent. Cette brève extase se renforçait non seulement, je crois, du sentiment que la tempête redoublait de fureur devant notre félicité enfantine, mais encore, de façon plus ambiguë, de la sensation de bien-être qu'il y avait à entrapercevoir, balancée comme un ludion sur la houle, une embarcation de pêcheurs en train de lutter contre l'océan démonté.

Ce sentiment — sans aucun doute scandaleux aux yeux du moralisme moderne — a pourtant été exprimé une première fois par le poète-philosophe épicurien Lucrèce dans son long poème *De natura rerum* dont, dès l'Antiquité, le passage le plus frappant a été codifié en une formule proverbiale, le *suave mari magno* :

Qu'il est doux quand les vents lèvent la mer immense,
D'assister du rivage au combat des marins !
Non que l'on jouisse alors des souffrances d'autrui,
Mais parce qu'il nous plaît de voir qu'on y échappe[1].

(Ces vers, qui expriment à merveille la sourde ambiguïté qui nous anime au spectacle des catastrophes lorsque nous en sommes nous-mêmes exemptés, mériteraient de plus amples développements. Notons simplement, en passant, que l'engouement actuel pour tout ce qui a trait à l'occupation allemande et aux horreurs nazies de la dernière guerre, aux serial killers, aux films et aux romans ultra-violents, en bref aux innombrables atrocités dont nous abreuve copieusement l'industrie du spectacle, alors que nous sommes confortablement assis dans nos fauteuils, devrait nous interroger sérieusement.)

Heureuses compensations des jours pluvieux

Ô bruit doux de la pluie
Par terre et sur les toits !
Pour un cœur qui s'ennuie
Ô le chant de la pluie !
Paul Verlaine[2]

Par la suite, au cours de l'existence, les jours de pluie seront aussi pour moi l'occasion d'une

1. Lucrèce, *De la nature des choses* (*De natura rerum*), II, vers 1 et suiv., traduit du latin par J. Kany-Turpin, Flammarion, 1998.
2. Paul Verlaine, « Il pleure dans mon cœur », *Romances sans paroles* (*Fêtes galantes — Romances sans paroles* précédé de *Poèmes saturniens*, Gallimard, « Poésie/Gallimard », 1973).

multitude de petits plaisirs que je pourrais énumérer ainsi : les courtes éclaircies durant les journées de tennis qui nous permettaient d'échanger des balles sur les terres battues détrempées, devenues si merveilleusement propices aux splendides « amorties » qui, on le sait, sont le régal à la fois du joueur de toucher et du vrai connaisseur ; les odeurs décuplées d'un jardin ou d'un parc immédiatement après l'averse ; la friture divine du grand ruissellement des pluies torrentielles — lorsque les gouttières glougloutaient tandis que dans une chambre de bonne, sous les toits, je m'efforçais de lire Schopenhauer et que ses formules à la fois lumineuses et abstruses me plongeaient progressivement dans l'onirisme le plus intemporel ; le clip-clop musical des gouttes dans le récipient de la soupente du grenier dont le toit fuyait, et où je m'étais attardé dans la maison des grands-parents à fouiller dans les malles emplies d'objets démodés ; le frisson de bonheur du campeur que j'étais à l'occasion, pelotonné bien au chaud dans son sac de couchage tandis que la pluie faisait sa musique discrète sur la toile de tente ; le plaisir, dans les grandes demeures lugubres, les châteaux — où j'étais parfois reçu — à *regarder pleuvoir* au travers des vieux carreaux déformés des fenêtres dont les boiseries craquaient légèrement sous l'effet de l'humidité, et à y observer encore, sur l'étang, la régularité sans faille des cercles formés par les gouttes et le bouillonnement des grosses bulles sous la pluie battante ; l'intimité d'un dialogue amoureux derrière les vitres embuées d'une carlingue automobile martelée par l'orage ; le ballet des essuie-glaces lorsqu'on roule sous une puissante averse et que le voyage prend, à la longue, des allures de *Vingt mille lieues sous les mers* ; les sessions de pluie ininterrompue sur la mégapole, pluie qui semble la lessiver de ses nombreuses impuretés, de ses miasmes, rafraîchissant l'atmosphère sursaturée et qui me permet, en outre, doté comme je le suis d'une vive « imagination matérielle », d'accepter plus facilement la déliquescence de toutes choses, et avant tout, peut-être, la lente décomposition des morts qui me sont proches et que je me représente alors mieux disposés à s'abandonner au grand ruissellement universel.

La tête dans les nuages

> *Nous pensons que les nuages parlent aux rêveurs et que l'âme s'enrichit à les contempler. En vérité, ceux qui s'abandonnent aux évocations suscitées par leurs formes feront l'économie d'une psychanalyse.*
>
> Extrait du Manifeste
> de la Société d'Appréciation des Nuages[1]

Ainsi que je l'ai déjà indiqué, la pluie ne convient nullement à la pratique du tennis sur terre battue. C'est pourquoi, dans mon club

1. Avant-propos du *Guide du chasseur de nuages* de Gavin Pretor-Pinney, traduit de l'anglais (Canada) par Judith Coppel, J.-C. Lattès, 2007.

d'enfance des bords de Seine au Mesnil-le-Roi, les terres-battues furent assez vite remplacées par des bétons-poreux, lesquels filtraient aisément la pluie et permettaient de jouer dès que celle-ci avait cessé, ou presque.

C'est ainsi que mes camarades et moi-même avions fini par devenir de fins météorologues amateurs, rompus à scruter et à interpréter les moindres variations du ciel. Nous parvenions avec une précision surprenante à évaluer dans combien de minutes la pluie qui menaçait interromprait notre partie, adaptant les modalités du score selon l'avancée du mauvais temps. Nous pouvions donc aussi nous organiser afin de pourvoir aux divertissements de remplacement. Je crois que c'est d'ailleurs à cette période que je pris goût aux délais et aux temps morts, si propices à la rêverie. Oui, j'aimais ces instants d'indécision et de léger ennui planant sur nos activités contrariées, car il en naissait toujours des situations inédites, soit des conversations passionnées sur ce qui nous occupait alors (les études, l'amour, le sport ou nos ambitions futures) soit une séance de minithéâtre improvisée par l'un d'entre nous qui se lançait dans un sketch d'imitation d'un de ses proches ou de ses professeurs, ou même encore — ce à quoi allait notre préférence — caricaturait le style de l'un de nos partenaires habituels, lesquels, soit dit en passant, formaient, comme dans toutes les associations sportives, une galerie de portraits relevant du plus haut comique. (En effet, la pratique autodidacte d'une discipline gestuelle mène souvent, sous l'emprise d'une volonté passionnée et non éduquée — il n'y avait pas de moniteur dans notre club — à un comportement qui tient du grotesque et recèle une dimension définitivement comique.) D'autres fois, ce pouvait être l'amorce de timides conversations philosophiques sur les rigueurs de l'existence dont nous avions naïvement l'impression (de cela je me souviens avec une certaine nostalgie) d'être provisoirement protégés par les grilles d'enceinte du club. Cela entraînait, de la part des membres de cette petite confrérie, l'exercice innocent d'une certaine désinvolture mêlée de superstition — attitude que je retrouverai d'ailleurs adoptée de façon similaire au sein de tous les clubs de jeux auxquels j'appartiendrai au cours de mon existence[1]. Nous ne faisions donc qu'effleurer ces sujets avec prudence, de peur, je crois, d'attirer l'attention du Léviathan qui, nous le pressentions, ne pouvait manquer de rôder à la limite même du cercle magique circonscrit par les arbres et les bosquets de notre petit club des bords de Seine. Et le plus étonnant, je dois dire, est que, inattention ou faveur inespérée de sa part, il eut l'heur de nous épargner pendant de longues années.

Pour ma part, lorsque je guettais ainsi la

1. J'ai entendu un jour, dans une allée de Roland-Garros, un homme prétendre qu'il lisait chaque jour le journal *L'Équipe* — qui rend compte exclusivement des nouvelles sportives — pour la bonne raison que cela lui permettait d'oublier la sinistre réalité du monde ambiant.

venue des intempéries, j'oubliais le plus souvent l'aspect pratique de cette surveillance et me perdais dans les nuées pour de longs moments, comparant et classant leurs formes variées selon des catégories toutes personnelles. J'avais bien tenté au début de retenir dans mon livre de géographie leurs noms scientifiques : cumulus, cumulonimbus, altocumulus ou autres cirrus et stratus, mais mes classifications personnelles — à vrai dire aussi ébouriffées que certaines de leurs formes — me parlaient un langage nettement plus évocateur que celui de la météorologie officielle. Je croyais également déceler dans leurs incessantes transformations des révélations plus générales sur le train du monde et plus particulièrement encore sur celui de mes propres désirs confus. J'en avais donc fait mon support médiumnique personnel, interprétant les présages venus du ciel comme d'autres l'auraient fait dans le marc de café ou dans les reflets d'une boule de cristal. Cependant, averti de l'hostilité de l'opinion courante à l'égard de ces sortes de supputations, je gardais jalousement mes intuitions pour moi seul, ne m'en ouvrant parfois qu'à ma sœur que cela passionnait tout autant que moi. En fait, je renouais sans le savoir avec une ancienne forme de divination nommée néphomancie.

André Breton l'a dit excellemment dans *L'amour fou*, observer les nuages consiste, dans une certaine mesure, à s'observer soi-même et cela à travers le dessin de nos fantasmes projetés sur l'écran du ciel.

Les nouvelles associations d'images que c'est le propre du poète, de l'artiste, du savant, de susciter ont ceci de comparable qu'elles empruntent pour se produire un écran d'une texture particulière, que cette texture soit concrètement celle du mur décrépi, du nuage ou de toute autre chose... L'homme saura se diriger le jour où comme le peintre il acceptera de reproduire sans rien y changer ce qu'un écran approprié peut lui livrer à l'avance de ses actes. Cet écran existe. Toute vie comporte de ces ensembles homogènes de faits d'aspect lézardé, nuageux, que chacun n'a qu'à considérer fixement pour lire dans son propre avenir. Qu'il entre dans le tourbillon, qu'il remonte la trace des événements qui lui ont paru entre tous fuyants et obscurs, de ceux qui l'ont déchiré. Là — si son interrogation en vaut la peine — tous les principes logiques mis en déroute, se porteront à sa rencontre les puissances du hasard objectif qui se jouent de la vraisemblance. Sur cet écran tout ce que l'homme veut savoir est écrit en lettres phosphorescentes, en lettres de désir[1].

Remarque que l'on peut sans doute étendre à toute forme de divination dès lors qu'il s'agit de mettre au clair ou de dévoiler, en la projetant sur des objets extérieurs, la partie cachée de nos désirs et de nos espérances. J'aimerais ajouter, par ailleurs, que pratiquer la néphomancie peut se montrer non seulement fort utile à la clarification de nos pensées secrètes et embrouillées, mais recèle encore un puissant antidote à tout excès de rationalité, tant la matière vaporeuse, presque onirique, de ce que nous avons sous les yeux est propre à nous rappeler la consistance essentiellement impondérable de la plupart de nos aspirations, ambitions, prospectives et autres plans tirés sur la comète.

1. André Breton, *L'amour fou*, Gallimard, « Folio », 1976.

Il suffit de nos jours, en revanche, de déambuler dans les rues d'une ville — a fortiori en Amérique du Nord comme je viens de le faire récemment — pour constater à quel point nos contemporains ne risquent nullement de s'évaporer dans les nuées, si splendides puissent-elles être parfois ; les yeux rivés comme ils le sont sur leurs écrans miniatures transportables, ou bien encore le regard accaparé par le pilotage de leurs engins au beau milieu du trafic intense, arborant des mines soucieuses et concentrées vers l'ici-bas le plus trivial, si peu enclins, en bref, à goûter un tant soit peu le « temps qu'il fait » !

La réalité, hélas, est sans doute que le souci moderne est devenu progressivement une sorte d'impératif catégorique dont toute tentative de s'extirper est aussitôt taxée d'irresponsable légèreté. Seuls quelques réfractaires, artistes déjantés ou autres poètes lunatiques, paisiblement asociaux — inconscients pour la plupart d'être en train de braver un interdit latent —, osent encore lorgner du coin de l'œil l'évolution des nuées, et cela dans l'espace fort restreint qui leur est encore alloué entre les cimaises de nos gigantesques immeubles. Mais la plupart d'entre nous, fonçant tête baissée comme nous en avons désormais pris le pli vers nos trépidantes activités, sommes si étroitement inféodés au diktat du souci utilitaire, au seul impératif économique, que nous n'avons aucunement le loisir de connaître la teneur de nos désirs véritables, ni la liberté mentale d'examiner si nous sacrifions ou non nos heures et nos journées à un bonheur factice.

D'où, par compensation sans doute, la multiplication exponentielle des cures d'éveil à soi-même, de développement personnel, de psychothérapies diverses et autres panacées pseudo-mystiques censées pallier le desséchant pragmatisme dont nous souffrons. J'ai malheureusement l'impression que ces méthodes de réappropriation de soi-même — la plupart du temps transposées depuis des disciplines orientales mal comprises — ne sont qu'une manière de fuir la réalité et de ne pas se confronter au problème véritable : le lent poison instillé dans nos veines par les moyens technologiques que nous employons — lesquels, loin d'être neutres, sont insidieusement porteurs de la maladie spirituelle qui nous infecte.

N'ai-je pas entendu dire récemment par un écrivain célèbre qui prétendait nous relater son expérience de la pensée bouddhiste que, certes, nos moyens de communication actuels et omniprésents ne facilitaient pas la méditation — interrompus comme nous l'étions par d'incessants messages — mais qu'il ne fallait surtout pas en incriminer ces merveilleux outils que la technique moderne avait mis à notre disposition ? Non ! Il ne fallait surtout pas tomber dans ce travers ! Et l'on sentait peser sur cette précaution oratoire de sa part tout le poids du politiquement correct, c'est-à-dire la terreur panique d'être taxé, ne fût-ce qu'un bref instant, de rêverie nostalgique, voire, quelle horreur ! d'arrière-pensées réactionnaires... Non, loin de lui toute visée rétrograde (« On ne pouvait revenir à la bougie, n'est-ce pas ? ») : il fallait simplement savoir se discipliner soi-même et s'obliger à en faire un usage raisonnable et approprié.

Manifestement, cette gloire de nos lettres voulait ignorer l'avertissement de tant de ses prédécesseurs, à savoir que c'était plus probablement les moyens qui justifiaient les fins, qu'en conséquence ce serait plutôt, à l'avenir, nos engins qui nous conformeraient au projet d'industrialisation massive contenu de façon implicite dans leur fonctionnement, et non l'inverse, qu'en outre, tout en nous soulageant, certes, d'une partie pénible de notre labeur, ils nous plieraient à un rythme mécanique humainement insoutenable et dont la pénibilité — attaquant d'abord notre condition nerveuse, puis notre âme — deviendrait globalement, à la longue, bien supérieure à celle qui auparavant nous épuisait de façon purement physique.

C'est ici le lieu et le moment de citer ce qu'écrivait déjà en 1924 l'historien-philosophe italien (précisément tombé dans l'oubli) qu'est Guglielmo Ferrero :

> C'est en vain que riches et pauvres s'accusent réciproquement d'être des tyrans. Il n'y a actuellement dans la civilisation occidentale qu'un seul tyran, mais il est impitoyable. C'est ce peuple innombrable de géants de fer et d'acier mus par le feu qui nous forcent à travailler et à nous amuser sans répit, bon gré mal gré, parce que si les riches, les classes moyennes et les masses populaires voulaient vivre plus simplement, la grande machine du monde s'arrêterait.
>
> Ce ne sont pas les machines qui actuellement travaillent pour satisfaire nos besoins ; c'est nous qui devons nous imposer à nous-mêmes des besoins nouveaux afin que les machines que nous avons inventées continuent à créer une

abondance qui est notre tourment. Tous nous souffrons de cette tyrannie, personne ne veut s'en délivrer. C'est pourquoi chacun s'en prend à son voisin.

C'est là justement la grande affaire de notre époque. Ne pas détruire, comme s'ils étaient des ennemis du genre humain, ces géants animés par le feu, mais d'autre part ne pas les multiplier aveuglément, faisant du monde leur proie et leur esclave. Les ramener au service de l'homme qui les a créés, dociles à sa volonté. Rompre la chaîne de leur tyrannie.

Esclaves de nos esclaves ou leurs maîtres ? Tel est le dilemme. Telle est l'épreuve. Pour en sortir vainqueurs, il faudrait que notre volonté s'arrachât le voile dont elle s'est entourée, pour ne pas voir que le libérateur est aussi un tyran, que notre empire sur la nature et sur le monde est en même temps un esclavage. Agréable mensonge, dont notre civilisation vit depuis un siècle et dont elle risque de mourir[1].

Un peu plus tard, en 1954, un autre philosophe également oublié (et pour cause : on ne s'oppose pas impunément à la doxa technicienne !), Jacques Ellul, écrivait ceci de semblable :

Il est vain de déblatérer sans cesse contre le capitalisme, ce n'est pas lui qui crée le monde actuel, c'est la machine[2].

Pour en revenir à notre tragique ignorance du langage des nuages, je relaterai une expérience tentée par un certain Nicolas Reeves qui me paraît tout à fait symbolique du fourvoiement sophistiqué de notre époque dévolue à la superstition technicienne. Ce scientifique-poète — s'il ne s'agit pas là d'un oxymore — a fabriqué près de Montréal ce qu'il appelle une « harpe

1. Guglielmo Ferrero, *Discours aux sourds*, Éditions du Sagittaire Chez Simon Kra, 1924.
2. Jacques Ellul, *La technique ou l'enjeu du siècle*, Économica, 2008.

de nuages ». Cette machine, plutôt gigantesque d'après la photo du livre[1] où j'ai recueilli cette information, reste silencieuse tant que le ciel est bleu mais se met à émettre une musique aussitôt qu'apparaissent des nuages. Un radar, qui est un rayon laser, mesure la lumière, la taille et la forme des nuages et transmet ces informations à l'appareil, lequel, configuré et harmonisé auparavant par un musicien (que notre « poète » nomme *nuagiste*) au moyen d'une gamme de sons spécifiques programmés à l'avance, recueille ces données puis déclenche le système sonore dont les harmonies sont ainsi offertes gracieusement aux éventuels passants.

Cette machine compliquée, qui relève des performances ou des installations les plus captieuses de l'art contemporain, exprime à mes yeux la tragique méprise de notre modernité éblouie à bon compte par le technicisme le plus gratuit. Comme s'il ne serait pas plus profitable, plus sain, moins coercitif, nettement moins coûteux et moins esbroufant pour tout dire, d'enseigner aux « éventuels passants » en question à harmoniser leurs pensées intimes et à laisser se former en eux-mêmes les précieux accords produits par les différentes qualités de silence mêlées aux bruits de la nature dès lors que l'on sait rester calme, bref à accueillir en leur for intérieur ces belles synesthésies que les dispositions des nuages peuvent éventuellement

1. Gavin Pretor-Pinney, *Le guide du chasseur de nuages*, *op. cit.*

y déclencher, à l'égal d'un langage ou d'une musique subtile !

Henry David Thoreau, qui fut l'infatigable coureur de bois et l'observateur attentif que l'on sait — en l'occurrence, un savant selon mes vœux —, a beaucoup contemplé les nuages mais ne voyait pas l'utilité de recourir à la sécheresse des sciences physiques modernes pour connaître la cause des changements de couleurs qui s'y opéraient. À ses yeux, la seule chose qui comptait était de savoir les apprécier :

> La façon dont les nuages se colorent est d'une beauté qui parle à mon imagination ; vous voudriez en rendre compte par des explications scientifiques qui s'adressent à l'intellect plutôt qu'à l'imagination... À trente kilomètres de distance, j'aperçois un nuage cramoisi sur l'horizon. Vous me dites qu'il s'agit d'une masse de vapeur qui réfléchit le rouge et absorbe les autres rayons, mais cela est sans intérêt pour moi qui suis exalté, dont le sang est vivifié et les idées libérées par cette vision écarlate... Quelle est donc cette science qui accroît votre compréhension mais appauvrit votre imagination[1] ?

À la même époque, le poète anglais John Keats faisait écho aux sentiments de Thoreau lorsqu'il reprochait vivement à Newton d'avoir voulu expliquer l'arc-en-ciel sans passion, avec des références aux longueurs d'onde de la lumière passant à travers les gouttelettes d'eau. Pour Keats, il n'y avait pas d'âme dans ce qu'il appelait « la froide philosophie » des explications de Newton :

1. *The Journal of Henry D. Thoreau*, édité par Bradford Torrey et Francis Allen, 2 vol., Dover, 1962, 25 décembre 1851, cité par Gavin Pretor-Pinney, *Le guide de chasseurs de nuages*, *op. cit*.

Tous les charmes ne sont-ils pas rompus
Au simple contact de la froide philosophie ?
[...]
Cette philosophie rognera les ailes de l'ange,
Conquerra les mystères à l'aide de règles et de lignes,
Videra l'atmosphère hantée, la mine qu'habitent les gnomes.
Elle dépoétisera l'arc-en-ciel, comme jadis elle fit
Pour la tendre Lamia dissoute en ombre[1].

Quoi qu'il en soit de cette dépoétisation du monde perpétrée par la science et par les prétendues lumières qui, dans les campagnes, je puis en témoigner, n'éclairent plus aujourd'hui que des paysages vidés de leurs anciens habitants réels ou imaginaires — hommes, animaux ou gnomes mythiques —, je m'obstine aujourd'hui encore, et comme je le faisais déjà durant mon enfance, à m'abîmer fréquemment dans la contemplation des nuages, et si je ne prétends plus y lire l'avenir avec autant de sûreté qu'auparavant, j'aime à admirer leurs silencieuses glissades sur les collines, les bois et les champs ainsi que la splendide fantasmagorie stroboscopique qu'ils y déploient. Ne dirait-on pas, en effet, par ces jours de rapide alternance entre l'ombre et la lumière que le grand manipulateur — qui se cache probablement là-haut derrière les plus gros cumulonimbus — s'amuse à faire clignoter l'éclairage solaire, à la fois pour son plaisir contemplatif et pour nous enseigner, à nous autres Terriens, que l'existence est essentiellement faite de contrastes et de rapides changements ?

1. John Keats, « Lamia », IIe partie, *Poèmes et poésies*, traduit de l'anglais par Paul Gallimard, Gallimard, « Poésie/Gallimard », 1996.

Un certain soir d'été il y a bien longtemps, alors que je logeais pour quelques jours dans un petit hôtel de Saint-Clément-des-Baleines, dans l'île de Ré, je sortis au début du crépuscule pour me promener sur la plage. M'y attendait un spectacle que je n'ai jamais pu oublier : une fête de cumulonimbus !

Depuis la ligne d'horizon jusqu'au plus haut du ciel, de gigantesques nuages cotonneux et boursouflés s'étaient amoncelés et donnaient véritablement l'impression qu'une partie de l'Himalaya avait inopinément surgi à l'horizon. Des précipices, des à-pics, des pentes neigeuses, des glaciers, des rochers monumentaux, des failles sans fond, de profondes vallées se dressaient ainsi sur la mer en un édifice titanesque, irradiant les couleurs les plus audacieuses, combinant des harmonies de teintes à faire pâlir les toiles d'un Turner, d'un Olivier Debré ou d'un Bram van Velde : une somptueuse féerie picturale ! De surcroît, ces couleurs et ces formes, comme en un lent kaléidoscope, ne cessaient de se métamorphoser, s'éclairant de l'intérieur et produisant des figures de plus en plus étranges à mesure que le soleil descendait sur l'horizon.

À un certain moment, l'envoûtement devint si puissant que je dus convoquer toute mon énergie pour me pincer mentalement et m'assurer que je n'étais pas plongé dans un profond sommeil. Car ce que je voyais tenait du rêve le plus délirant. Une sorte d'hallucination très similaire, en fait, à ce que j'avais entrevu ce jour de ma jeunesse où j'avais eu l'audace (et peut-être l'inconscience) de prendre une capsule de mescaline ; laquelle m'avait fait apercevoir des gouffres psychiques à la fois splendides et inquiétants où les formes fluorescentes les plus extravagantes semblaient vouloir happer mon reste de lucidité. Ce fut d'ailleurs à l'instant, ce soir-là, où me vint cette comparaison que je fus saisi de la crainte — seul sur cette plage comme au bord d'un nouvel abîme — de m'y perdre à nouveau.

Lorsque je revins à mon hôtel, encore hanté par ces visions, j'eus le sentiment de revenir d'un voyage au cœur même de l'indifférencié et je m'endormis comme une pierre tombe dans un puits, épuisé par une telle débauche émotionnelle.

Les semaines qui suivirent (et maintenant encore lorsque j'y repense il m'arrive de douter d'avoir réellement vécu cette hallucination nébuleuse), j'eus plutôt l'impression d'avoir expérimenté ce que l'on nomme un retour psychotique du stupéfiant.

Comme quoi, la contemplation trop obstinée des nuages peut aussi comporter des dangers !

Le luxe des jours de pluie à la ville

> *La pluie est le mot de passe de ceux qui ont le goût pour une certaine suspension du monde. Dire que l'on aime la pluie c'est affirmer une différence.*
>
> Martin Page[1]

N'entre-t-il pas, dans le projet de vouloir faire l'éloge des jours de pluie en une époque où chacun revendique comme un dû sa part de soleil (au point de s'abandonner des journées durant, sans plus bouger, à une longue cuisson à petit feu sur les plages et sur les terrasses), une sorte d'humeur paradoxale, acrimonieuse, voire asociale ?

Difficile de le nier, en vérité, car je dois admettre — tandis que j'écris ces lignes à une table de la bibliothèque Gabrielle Roy de la ville de Québec, me laissant bercer par le glougloutement de la fontaine en contrebas évoquant à s'y méprendre les grosses averses chantonnant dans les gouttières — que cette intention manifeste une définitive lassitude pour le conformisme solaire ! Un conformisme auquel participe l'industrie touristique et promulgué par ceux qui veulent à tout prix nous rallier à un optimisme de commande qui, à leurs yeux, s'associe obligatoirement à ce qu'ils nomment un temps radieux. Ne suffit-il pas, pour s'en persuader, d'écouter

1. Martin Page, *De la pluie*, Ramsay, 2007.

les présentateurs météo de nos médias nous annoncer, lorsqu'il va pleuvoir (et peu importe que la végétation ait dû subir de dangereuses périodes de sécheresse) que le temps *se dégrade* ? Et n'est-il pas vrai qu'avouer une certaine affection pour la pluie vous classe immédiatement dans la catégorie des atrabilaires et des grincheux, alors qu'il s'agirait plutôt d'une faible revendication en faveur de l'ancienne mélancolie romantique — précisément vilipendée par les adorateurs du soleil ?

Cette adoration forcenée de l'astre solaire — largement ignorée dans les siècles qui nous ont précédés — paraît tout à la fois l'emblème d'une époque vouée aux artifices existentiels et l'aveu inquiétant d'un profond désarroi. Peut-être faut-il avant tout y voir le triomphe d'une sorte de monothéisme rigoureux cherchant à éradiquer la joyeuse diversité des petits dieux turbulents de l'ancien cosmos, un dogmatisme hostile aux aléas des variations naturelles, bref, une sorte d'impérialisme du bonheur fléché et quasi obligatoire tel qu'il nous est prôné en permanence par les tenants du « progrès » — lesquels, on le sait, aimeraient transformer notre planète en un vaste Disneyland où la nature n'existerait plus que sous une forme virtuelle ?

Par bonheur, à Paris, où je séjourne une bonne partie de l'année, non seulement la pluie mais la grisaille — l'adorable grisaille parisienne — continuent de faire valoir leurs droits poétiques auprès de ceux qui savent les apprécier.

Certains jours, par exemple, où le gris bleuté légèrement teinté de rose du ciel nimbe toutes choses d'une aura impressionniste et que l'eau de la Seine approfondit son vert tirant sur le plus beau jade chinois, que les péniches se croisent en ronflant tandis que la brise fait flotter leurs pavillons, que les mouettes font des concours de loopings, que des cyclistes pédalent fièrement le long de leurs couloirs réservés et que des couples d'amoureux — visiblement soucieux de respecter la tradition — s'étreignent sous les ponts, flâner à pied le long des berges du fleuve en n'ayant d'autre projet que celui de visiter une exposition Vallotton, de prendre éventuellement ensuite un thé avec une belle inconnue abordée devant un tableau ou bien de dénicher un livre rare chez un bouquiniste et plus tard encore de trouver un partenaire d'échecs au jardin du Luxembourg, tient d'un luxe somptueux !

(Un luxe onirique qui, si l'on me permet cette digression, ne coûte pas cher et, Dieu soit loué, demeure encore licite, bien que, selon mes estimations et sous la pression sociale populiste, il ne saurait sans doute tarder à être prohibé, comme le furent naguère en Russie soviétique les occupations des doux excentriques réfractaires à l'activisme ambiant, accusés puis jugés dans des procès « exemplaires », de parasitisme avéré et de fainéantise *— lors même qu'ils se contentaient, à l'instar du poète Joseph Brodsky, de survivre chichement en traduisant (avec grand soin) chaque matin de la littérature classique étrangère, mais, il est vrai, se livrant, l'après-midi, à leurs marottes telle celle de composer des poèmes qui leur vaudraient éventuellement, vingt ans plus tard, le prix Nobel de littérature !... Extrait des minutes du pro-*

cès : « JUGE : Quelle est votre profession ? *BRODSKY :* Je suis un poète. *JUGE :* Mais qui vous reconnaît comme poète, qui vous a enrôlé dans les rangs des poètes ? *BRODSKY :* Personne. Et qui m'a enrôlé dans les rangs de l'humanité ? *JUGE :* Avez-vous étudié pour être poète ? *BRODSKY :* Cela ne s'apprend dans aucune école. Cela est, cela vient de Dieu[1]. »*)*

Oui, cette grisaille, parfois agrémentée d'une fine bruine, m'a toujours semblé accentuer la magnificence parisienne, conférant aux éclairages des devantures de boutiques, aux intérieurs de cafés, au confort des appartements grands bourgeois entraperçus au passage, à la somptuosité des halls d'hôtels, aux intérieurs des musées et des galeries, des moindres commerces, puis en bref, à tous ces lieux publics ou privés du vieux Paris traditionnel dont les lampes s'allument dès que le temps s'assombrit, une atmosphère de faste rêveur ! Or, concernant le faste et le luxe des appartements grands bourgeois ainsi que ceux des halls d'hôtels et des grands restaurants, même si je sais que je n'en participerai, pour ma part, que fort rarement, les apercevoir de l'extérieur à la dérobée suffit à me dispenser un appréciable bien-être par procuration.

(Il y a ici, au sujet de la vie par procuration, une anecdote assez étonnante, lourde, à mon avis, de toute une philosophie qu'il conviendrait de méditer : lorsque le parlement bavarois décida de déposer le roi

1. *Brodsky ou le procès d'un poète*, édition d'Efim Etkind, préface d'Hélène Carrère d'Encausse, LGF, « Le livre de poche », 1988.

Louis II de Bavière pour dépenses inconsidérées (on sait quel type de romantisme l'animait : la construction au bord de l'abîme du château de Neuschwanstein, la réalisation d'un théâtre monumental pour jouer les opéras de Wagner, le soutien de nombreux artistes, son goût des décors fastueux, son enfermement volontaire dans sa propre chambre durant la guerre contre l'Autriche, à laquelle il était opposé), quand donc, disais-je, les stricts bourgeois du Parlement proclamèrent sa destitution, une révolte paysanne se déclencha qui vint demander des comptes au gouvernement jusque sous les fenêtres du bâtiment de l'Assemblée nationale. Or, après que le Premier ministre eut terminé d'exposer par le menu, aux gens rassemblés, toutes les inconséquences dispendieuses de leur roi — cause de sa destitution —, le meneur du soulèvement lui fit cette réponse mémorable : « Et si ça nous plaisait à nous qu'il vive un rêve pour nous ? » Phrase mythique révélant selon moi le fossé qui séparera toujours les démocrates bourgeois, individualistes et envieux, de la sensibilité populaire foncièrement idéaliste et rêveuse — même si ce doit être par procuration. *Ce dont témoigne aujourd'hui, il me semble, le succès des nombreux magazines populaires qui relatent, photos à l'appui, le faste insensé de la vie des stars, les mariages royaux et autres cérémonies des grands privilégiés de ce monde, enfin ce dont témoigne aussi, pour finir, ce simple fait qu'à lui seul le château de Neuschwanstein attire désormais, chaque année, pas moins d'un million trois cent mille visiteurs.)*

Dans nombre de ses films, Woody Allen se plaît à répéter que Paris est une ville dont la beauté s'affirme encore davantage sous la pluie. Dans quelques-uns d'entre eux, il s'est donc ingénié à nous proposer des séquences de rues parisiennes où les lueurs des réverbères se reflétant sur l'asphalte humide, l'éclat des vitrines constellées d'eau de pluie, les phares des automobiles irradiant à travers les averses confèrent un éclairage dramatique aux intrigues du scénario — principalement aux histoires d'amour. Quoi de plus romantique en effet qu'un coup de foudre qui se concrétise par un baiser sous la pluie ruisselant sur les visages des protagonistes sans qu'ils y prêtent attention, tant ils sont exaltés par leur mutuel aveu ?

(Au cinéma, les scènes de déclaration d'amour sous la pluie sont légion. L'une des plus émouvantes est peut-être celle qui clôture le film intitulé Quatre mariages et un enterrement. *Les amoureux s'embrassent passionnément tandis qu'une puissante averse les inonde — au point de presque brouiller l'image —, mais lorsque l'amant propose à son amoureuse d'aller s'abriter, celle-ci, comme sortant d'un rêve, lui répond : « Ah ! Il pleuvait ? Je ne m'en étais pas aperçue ! »)*

Et quoi de plus délicieux que ces languissantes séances voluptueuses au fond d'un lit, tandis qu'au-dehors la pluie se déverse sur la ville et chantonne dans les gouttières ? Ne savoure-t-on pas alors avec plus de force le bien-être de ce nid douillet au creux duquel on est lové avec l'être aimé ?

De même, les interminables conversations philosophico-érotiques parisiennes qui relèvent du marivaudage telles qu'il y en a tant dans les films d'Éric Rohmer, et qui sont rendues plus sensuelles encore par le fredonnement de la pluie sur les vitres et dans les caniveaux. Comme si, en quelque sorte, la ritournelle aigrelette des eaux qui s'écoulent soulignait l'importance qu'il peut y avoir pour l'amour à demeurer ludique et grave à la fois, bref à se placer sous l'égide du théâtre ordinaire, voire du vaudeville, là où il est essentiel de savoir parler pour ne rien dire... ou pour être plus précis, de ne rien exprimer d'autre que cette exubérance insoucieuse qui nous pousse à vivre et à aimer sans trop en connaître les raisons !

(Toutes choses, notons-le en passant, que notre dramaturge et philosophe, accessoirement grand créateur de néologismes, Pierre Carlet de Marivaux (qui eut l'inspiration, ce qui n'est pas anodin, de créer l'expression « tomber amoureux »), a suscitées et magnifiées dans son théâtre où le comique permanent et la légèreté des propos ne peuvent entièrement masquer la gravité des sentiments. Marivaux qui a dit de sa propre démarche qu'elle consistait à « guetter dans le cœur humain toutes les niches différentes où peut se cacher l'amour lorsqu'il craint de se montrer ».)

Pourtant, si la pluie ornemente particulièrement bien l'effervescence de la vie parisienne, sa cité de prédilection demeure sans doute Londres, dont il est difficile d'extirper de sa mémoire des souvenirs de séjours exempts de cette humidité quasi consubstantielle.

Laurence Sterne, dans son *Tristram Shandy*, voulant désigner l'élément fondateur de l'humour anglais, dit ceci :

> ... cette étrange inconstance de notre climat, cause d'une égale inconstance des caractères, nous offre ainsi une certaine compensation en nous donnant de quoi rire à l'inté-

rieur quand le mauvais temps nous interdit de mettre le nez dehors ; cette observation m'appartient et j'en ai été frappé précisément en ce jour pluvieux du 26 mars 1759 entre 9 heures et 10 heures du matin[1].

Pour ma part, j'ai beaucoup fréquenté Londres à différentes époques de ma vie. Tout d'abord, durant mon adolescence, lorsque j'allais visiter mon oncle John, ma tante Edna et leurs deux fils, mes cousins Robert et Colin.

Après une nuit sur le ferry, passée sur le pont à lutter contre le mal de mer, je débarquais du train au petit matin, épuisé, à la gare de Victoria et afin d'affronter le crachin poisseux qui m'accompagnerait durant tout mon séjour, j'ingurgitais à un comptoir, sous la grande verrière, la boisson roborative nationale : un robuste thé au lait de couleur très exactement glauque qui, tout en me retournant l'estomac, me redonnait — à la manière de la théologie négative — un peu foi en l'existence. Je parcourais ensuite le trajet jusqu'à North Acton dans les wagons brinquebalants du métro et arrivé là, m'abritant sous mon parapluie, mon sac à dos arrimé sur les épaules, je longeais plusieurs rues rectilignes jusqu'à la petite maison totalement identique à toutes celles qui l'environnaient (en briques avec jardinets avant et arrière) de mon oncle John et de ma tante Edna — parfaits spécimens s'il en fut de la low middle class londonienne.

1. Laurence Sterne, *Vie et opinions de Tristram Shandy*, traduit de l'anglais par Charles Mauron, Flammarion, « GF », 1999.

Aussitôt que j'avais pénétré dans leur intérieur, pourtant fort modeste (mon oncle faisait vivoter sa famille en étant à la fois agent matrimonial, puis photographe et organisateur de la cérémonie des mariages qui s'ensuivaient éventuellement ; et parfois même, si cela se présentait au long des années subséquentes — je l'appris plus tard de mes cousins — amant occasionnel de la mariée) ; aussitôt donc que j'avais pénétré chez mon oncle et ma tante, j'étais pris d'un vif sentiment de bien-être, tant la chaleur de ce foyer anglais typique m'enchantait : le décor constitué de fanfreluches et d'objets hétéroclites, ainsi que l'agencement du petit salon avec la cheminée où, dans une sorte de corbeille en fer, rougeoyaient des boulets de charbon, salon qui communiquait avec la minuscule cuisine par l'ouverture d'un passe-plat ressemblant à un guichet, les deux énormes paniers remplis de coussins et de couvertures pour le chien et les trois chats, les chromos au mur représentant des terrains de cricket ou des voiliers sur la Tamise, un portrait de la reine Élisabeth, les napperons de dentelle couvrant les innombrables tablettes du mobilier, les tapis épais de grosse laine écossaise, élimés et tachés, où se prélassaient les animaux devant la télé sertie d'une enveloppe protectrice en cuir et diffusant l'inévitable course de chevaux... — oui, je me sentais intensément heureux à la vue et au contact de la chaleur humaine baroque qui émanait de cet intérieur participant définitivement de la dimension du cosy, laquelle me paraissait à la fois idéalement faite pour résister au climat et pour favoriser la convivialité du rapprochement familial.

Pour donner raison à Laurence Sterne, j'ai souvenir d'avoir ri comme jamais dans ce foyer, en compagnie de mes deux cousins et de mon oncle, qui étaient tous trois des virtuoses de l'humour anglais populaire. Il régnait dans cette bicoque une gaieté inconséquente et burlesque dont je n'ai jamais retrouvé l'équivalent. Colin imitait des personnalités télévisuelles, Robert racontait des anecdotes concernant les voisins à sa manière pince-sans-rire, John jouait de l'accordéon en chantant des tubes anglais de l'époque et ma tante, ravie, hochait la tête devant tant de débridement, essuyant le coin de ses yeux, mouillés d'avoir tant ri. Ensuite, spécialement par mauvais temps, venaient les collations qui paraissaient susceptibles d'être improvisées à toute heure selon les humeurs de la maisonnée : œufs au bacon accompagnés de flageolets et de tomates poêlées, tartines de pain beurrées, l'inévitable « thé au lait roboratif », cheddar avec marmelade d'oranges amères, puis pour finir, extirpés d'une multitude de grosses boîtes en fer descendues des étagères de la cuisine, une pléthore de biscuits variés que l'on trempait dans le thé. De temps à autre, un doigt de porto dans de minuscules verres ou bien, à la place du thé, une canette d'un stout à la consistance tout aussi épaisse !

Je me souviens aussi de ces interminables trajets dans la camionnette de John, traversant une partie des gigantesques banlieues de

Londres, tandis que les essuie-glaces, en parfaits métronomes, rythmaient un temps qui semblait s'étirer dans un intermède infini au long duquel mon oncle m'exposait dans le détail sa philosophie de la vie, laquelle, en accord avec notre manière de nous faufiler sous la pluie insistante, consistait avant tout à savoir faire le gros dos devant les intempéries de l'existence ! En général, ces périples aboutissaient à son club de yachting sur la Tamise. Il s'agissait d'un club définitivement middle middle class auquel John, qui en était accessoirement le meilleur barreur, était très fier d'appartenir, car il lui permettait, chose infiniment difficile au Royaume-Uni, de s'élever d'un petit cran sur l'échelle sociale.

Après les présentations d'usage, et la plupart du temps une nouvelle tasse de « thé roboratif », nous embarquions sur la Tamise face au vent et au crachin vernissant nos cirés et constellant mes lunettes. J'adorais ces excursions dans le périmètre des docks où nous longions les rives du large fleuve bordées de multiples hangars à moitié en ruine, de monumentales usines plus ou moins désaffectées, envahies par la végétation résiliente, de casemates faites de bric et de broc, nanties de leurs jardinets protégés par des barrières de bois dentelées, casemates sur le toit desquelles, se tordant dans le vent humide, s'élevait une mince fumée qui me paraissait précisément avoir induit la philosophie minimaliste et « protectionniste » de mon oncle. De temps à autre, nous étions croisés ou doublés par d'imposantes péniches qui faisaient retentir leur corne de brume pour nous avertir et peut-être nous saluer amicalement. John soulevait courtoisement sa casquette en direction de la sombre masse qui passait en propageant de grosses vagues nous ballottant en tous sens. D'autres fois, au cœur d'un bassin anciennement aménagé pour les navires et maintenant abandonné, nous pouvions admirer la grâce de trois cygnes qui paraissaient vouloir ornementer, en toute gratuité, la déréliction de ce territoire industriel désormais laissé pour compte ; de temps à autre, mais très rarement, se découpait une silhouette humaine affairée parmi des décombres. L'impression m'est restée, de ces croisières sur la Tamise brumeuse parmi les innombrables bâtisses et friches industrielles hétéroclites massées sur ses rives, d'une excursion sur les lieux d'une catastrophe — assez proche, en somme, de celle ressentie des années plus tôt durant la visite de Pompéi. À y resonger aujourd'hui, je prends conscience que ces dérives au cœur des docks désaffectés se sont amalgamées dans ma mémoire avec les images et l'atmosphère du film de Tarkovski intitulé *Stalker*. Déjà à cette époque adolescente, j'avais conscience que c'était là une variante du romantisme des ruines qui m'ensorcelait et me procurait cette précieuse sensation d'accompagner la fin d'un monde ; que c'était peut-être aussi la préfiguration de l'avenir de notre civilisation qui se profilait dans cet ancien port fluvial construit à grands frais pour accueillir les bateaux de haute mer et abandonné avant d'avoir jamais servi.

Un jour, mon oncle accosta dans une anse aménagée, huileuse et aux quais dévastés. Amarrant son bateau à un pieu de bois décati, il m'entraîna jusqu'à un hangar environné de magnifiques graminées desséchées par l'hiver. Par une petite porte latérale, nous pénétrâmes dans un vaste espace éclairé par une verrière au milieu duquel se dressaient — tels des engins futuristes étranges — ce que je finis par identifier comme étant des sculptures métalliques monumentales. Près du sommet de l'une d'elles, juchée sur un échafaudage, une femme en bleu de travail, le visage revêtu d'un masque avec lucarne au niveau des yeux, était en train de souder, à l'aide d'un chalumeau projetant des étincelles bleues et jaunes, deux tubulures de métal figurant ce qui semblait être les antennes d'un gros insecte.

Après un moment, la femme prit conscience de notre présence. Elle éteignit son chalumeau, ôta son masque, puis elle salua mon oncle d'une boutade railleuse tout en descendant nous rejoindre. C'était une jolie femme sur le retour, pleine de cette gouaille populaire anglaise irrésistible. Elle ne cessait de se moquer de mon oncle avec une pointe de provocation qui me fit augurer de ce qu'avaient été ou de ce qu'étaient encore leurs rapports véritables — peut-être l'une des anciennes clientes de l'agence… Quoi qu'il en soit, une fois qu'il m'eut présenté, elle nous invita à la suivre dans l'un des coins de l'atelier où elle nous servit un vin jaune sirupeux accompagné de biscuits secs. S'adressant à moi, elle m'expliqua en substance sur un ton mi-goguenard « qu'ici en Angleterre, le climat obligeait tout le monde à se trouver des hobbies, si possible à l'intérieur... que John, lui, persistait à mettre le nez dehors par tous les temps avec sa passion des "ronds dans l'eau", tandis qu'elle, elle préférait fabriquer des objets avec du métal de rebut. D'ailleurs, autour d'ici, elle n'avait qu'à se servir, c'était quasiment gratuit, le seul problème étant le transport, mais elle avait ses combines... Et moi donc, le neveu du grand navigateur, avais-je aussi un hobby en France ? »

Quand j'eus répondu que je jouais au tennis, elle me considéra soudain d'un œil un peu méfiant et me répondit que « ce n'était pas un hobby, mais un sport pour "la haute" et qu'en outre, c'était bien dommage pour moi car j'ignorais sans doute ce que pouvait être un vrai *passe-temps*. Plutôt qu'un passe-temps au bon sens du terme, le tennis était une sorte d'addiction insatiable qu'on finissait par prendre trop au sérieux et qui vous empoisonnait l'existence ! »

Médusé par ce discours nouveau pour moi, je ne savais que répondre et cela d'autant plus que j'avais déjà subodoré, sans oser me le formuler clairement, combien je me fourvoyais en cherchant à poursuivre une carrière sportive professionnelle. Par bonheur, mon oncle me vint en aide, expliquant à son amie que « tel qu'il me connaissait, il était en mesure d'affirmer que mes séjours dans la vieille Angleterre, ou du moins ce qu'il en restait, m'avaient suffisamment enseigné les bienfaits de l'amateurisme. C'était aussi pour ça, ajouta-t-il, qu'il m'emmenait sur son bateau : afin que je comprenne combien ce qui était inutile pouvait se révéler enthousiasmant tandis que l'utile et le profitable, à la longue, dissipaient le plaisir ».

À la façon dont la femme buvait les paroles de mon oncle qui, comme je l'ai déjà indiqué, était un philosophe assez éloquent à ses heures, je ne doutai plus qu'elle eût fait partie de ses nombreuses conquêtes.

Pour terminer, alors que nous sortions de son atelier, non plus sous le crachin mais sous une averse déclarée, la femme me dit en souriant : « De toutes les façons, avec le temps que nous avons, n'est-ce pas, jouer au tennis sur gazon n'a rien d'amusant, c'est juste casse-gueule et la balle glisse trop vite !

— Ah ! Mais je vois que vous avez joué, vous aussi, dis-je.

— Eh bien oui ! Dans ma jeunesse avec mes parents. Vous savez, ici, en Angleterre, tout le monde possède une raquette et s'en sert un jour ou l'autre, mais quant à jouer au tennis, il y a un fossé que les gens raisonnables évitent de franchir ! »

Malgré tout, par la suite, entraîné par un destin que je ne maîtrisais pas, je revins souvent à Londres pour jouer soit au squash, soit à la courte paume, et je pus alors constater qu'en dépit de l'allégation de l'amie de mon oncle, la conception que la upper class se faisait de ces jeux de balles — particulièrement de la courte paume — correspondait presque en tout point à celle que la middle class se faisait d'un hobby.

Lorsque, sous une des différentes variétés de pluie anglaise, j'arrivais dans l'enceinte du très chic Queen's Club à Baron's Court pour une compétition hivernale de courte paume, j'éprouvais, en entrant dans cette partie réservée au public nommée « le dedans » (située juste derrière le court, sous la grande verrière — ce jeu ne se pratiquant qu'à l'intérieur), la même sensation de bien-être convivial que celle que j'avais toujours ressentie chez mon oncle John. Il y avait généralement là — les compétitions se déroulant le week-end — une bonne vingtaine de gentlemen en vestes de tweed qui, tout en sablant le champagne et en dégustant des petits pâtés à la viande, des biscuits salés et des olives, ne cessaient d'apostropher les joueurs qui, de leur côté, bien qu'intensément engagés dans un match tendu, tentaient de faire bonne figure aux nombreux quolibets lancés par leurs prétendus supporters respectifs. J'avais vite compris, pour ma part, qu'une fois sur le court, vouloir imposer le silence nécessaire à la concentration était non seulement vain mais jugé comme une faute de goût, si ce n'est une posture arrogante typiquement continentale, laquelle ne pouvait, comme de juste, que renforcer l'avalanche des lazzis adressés à ce que ces aficionados considéraient comme de simples *mauvais joueurs*. En réalité, je compris rapidement que, pour ces sportifs britanniques, le jeu et la compétition elle-même n'étaient qu'un prétexte à boire et à se tailler de bonnes pintes de rire entre camarades — chacun se retrouvant, à son tour, durant ses propres matchs, traité de manière identique. De surcroît, je réalisai assez vite que, bien qu'ils fussent tout aussi mauvais perdants que nous autres Latins, les joueurs britanniques maniaient l'art d'afficher la désinvolture dans la défaite à l'égal des meilleurs acteurs de vaudeville (lorsque, par exemple, on annonce ex abrupto au protagoniste qu'il a définitivement été fait cocu). L'essentiel était de faire bonne figure en toutes circonstances et d'avoir toujours un mot d'esprit en réserve à rétorquer aux provocations des spectateurs et surtout de ne jamais sortir du court — vainqueur ou vaincu — sans proférer une formule sarcastique tendant à dédramatiser la lutte acharnée qui venait de se dérouler sur le terrain. On pouvait alors prétendre à être considéré comme un membre à part entière de ce petit monde très fermé, au sein duquel les vrais champions étaient ceux qui maîtrisaient l'art de la blague de circonstance.

Ce type de comportement s'adossait aussi nécessairement à la pluie et au mauvais temps que la pratique du cricket s'adossait à l'ennui — cet extraordinaire ennui anglais, sans aucun doute né des rigueurs du climat. Or, si l'on tentait d'en pénétrer l'essence profonde, cette désinvolture humoristique finissait par apparaître comme une philosophie pleine de subtilités où — à l'instar de ce qu'en disait Sterne — il s'agissait de savoir faire contre mauvaise fortune bon cœur, en bref de savoir s'adapter aux aléas contraires ; ce qui, en fin de compte, était la définition même de l'esprit sportif.

Il me semble que, sans en être encore tout à fait conscient à cette époque de ma jeunesse, j'étais déjà intuitivement sensible à ce qui était sous-jacent dans ces *attitudes anglo-saxonnes*.

> « Je vois à présent quelqu'un ! » s'exclama-t-elle [Alice] tout à coup. « Quelqu'un qui avance très lentement et en prenant des attitudes vraiment bizarres ! » (Le messager, en effet, chemin faisant, ne cessait de faire des sauts de carpe et de se tortiller comme une anguille en tenant ses grandes mains écartées de chaque côté de lui comme des éventails.)
>
> « Pas bizarres du tout, dit le roi. C'est un messager anglo-saxon, et les attitudes qu'il prend sont des attitudes anglo-saxonnes. Il ne les prend que lorsqu'il est heureux[1]. »

Ainsi lorsque, engagé avec passion dans un match sur l'un des deux courts du Queen's, une violente averse venait marteler la haute verrière, m'efforçant d'adopter une « attitude *mentale* anglo-saxonne », je pris le pli de considérer la chose comme une consécration venue du ciel et validant mon appartenance à la saine conception britannique du sport-passe-temps...

Je me souviens d'avoir vu à New York, depuis la très haute terrasse couverte d'un gratte-ciel de la pointe de Manhattan, l'avant-garde de la pluie océanique s'avancer sur la mer et, voilant Ellis Island, prendre de la vitesse pour finalement venir cribler les grandes baies vitrées derrière

1. Lewis Carroll, *De l'autre côté du miroir*, traduit de l'anglais par Henri Parisot, Gallimard, « Bibliothèque de la Pléiade », 1990.

lesquelles nous nous trouvions soudain comme dans la cabine de pilotage d'un paquebot assailli par la tempête. Cela avait quelque chose de subtilement délicieux, d'un peu magique aussi, que de se sentir ainsi protégés, et à une telle hauteur, de la violence des éléments déchaînés par une simple cloison de verre ! Cela tenait même d'une sorte de rêve.

En outre, observer les longues pluies s'abattre sur les gratte-ciel de Manhattan depuis Brooklyn constitue une expérience esthétique inoubliable. Comment ne pas être impressionné par la majestueuse beauté qui se dégage de ces géants de béton troués de millions d'alvéoles lumineuses au moment où les tempêtes venues de la mer les frappent de plein fouet ? Cela sans que leur imperturbable orgueil de grands seigneurs ne semble en être un seul instant affecté ! Comme si cette citadelle de la finance avait été édifiée à cet endroit précis pour défier et braver l'ordre naturel. D'ailleurs, le style général des anciens buildings, qu'on dit souvent néogothique, ne fait-il pas référence à la volonté médiévale et féodale d'implanter la civilisation face à la grande nature ? Cependant, on a parfois le sentiment que le défi a dépassé la mesure simplement humaine et qu'il a quelque chose de prométhéen, de titanesque, ce pourquoi, sans doute, les éléments se déchaînent contre lui avec une particulière violence, presque vengeresse.

Déambuler dans Venise parapluie en main, s'abriter de temps à autre sous les arcades d'une placette, entrer dans une église où, au creux d'une ombre qui paraît aussi profonde que le passé des lieux, chatoient discrètement — pour vous seul — les couleurs d'un tableau de maître, longer un étroit rio dont la pluie piquette la surface, admirer le vernis dont elle recouvre le dallage des ruelles, pénétrer dans un minuscule établissement à l'angle de deux canaux et boire un café, debout au comptoir, presque à l'aplomb d'une statuette de la Madone dans sa niche murale… tout cela tandis que l'eau ruisselle le long des toits et des murs, venant s'ajouter à celle, dormante, des canaux, et éprouver soudain — au cœur de ce colimaçon urbain — une sensation de protection intra-utérine, demeure peut-être l'expérience la plus représentative du luxe existentiel que la pluie peut conférer à une ville.

Il me semble d'ailleurs n'avoir jamais mieux ressenti le privilège métaphysique d'évoluer *encore* en pleine vie, c'est-à-dire à la barbe des innombrables morts engloutis sous la surface du présent, qu'à bord d'un vaporetto progressant sur le Grand Canal flagellé par l'averse : tandis que nous nous faufilions parmi les embarcations qui se croisaient en tous sens, que les mouettes et les pigeons tourbillonnaient dans le vent, que sur les quais s'affairait une foule intensément active, je me pris, sur le pont trépidant du bateau, à observer les visages des autres passagers et je crus remarquer que leurs regards, glissant sur le fronton des palazzi décatis que nous dépassions, flottaient comme dans un songe.

À ce stade, il me semble opportun de glisser

un passage du poète Joseph Brodsky, déjà cité précédemment, et qui, ayant maintes fois visité cette ville, nous en donne sa vision première :

> La lente avancée du bateau à travers la nuit était comme le passage d'une pensée cohérente à travers le subconscient. Des deux côtés, baignant dans l'eau d'encre, se dressaient les énormes coffres sculptés de sombres palazzi remplis d'insondables trésors — de l'or assurément, à en juger par la faible lueur électrique jaune qui sourdait parfois par la fente des volets. L'atmosphère de tout cela était mythologique, cyclopéenne pour être précis : j'étais entré dans cet infini que j'avais contemplé sur les marches de la stazione et voilà que je passais au milieu de ses habitants, devant une troupe de cyclopes endormis reposant dans l'eau noire et qui, de temps à autre, se dressaient et soulevaient une paupière[1].

Cette impression, lorsqu'on séjourne à Venise, d'être plongé pieds et poings liés dans un rêve puissant et mythologique est à la fois troublante et délicieuse. La chose semble pourtant inévitable si l'on songe à l'édification plus qu'improbable d'une telle merveille : sur des pilotis de bois au beau milieu d'une lagune relativement insalubre ! Résider à Venise ne reviendrait-il donc pas à se glisser à l'intérieur d'un rêve architectural ? Ne suffit-il pas aussi de lire l'ouvrage de Gaston Bachelard *L'eau et les rêves* pour savoir à quel point l'élément aquatique participe de cette dimension imaginaire dont la ville est porteuse. En outre, la pluie, lorsqu'elle y survient en conjugaison avec de fortes marées, produit ce phénomène que les Vénitiens nomment l'*acqua alta*, c'est-à-dire une montée des eaux qui inonde les

1. Joseph Brodsky, *Acqua alta*, traduit de l'anglais par Benoît Cœuré et Véronique Schiltz, Gallimard, « Arcades », 1992.

parties basses de la ville. Circuler à cette période parmi les ruelles surélevées par des planches, patauger chaussé de hautes bottes dans les larges flaques ou les places transformées en autant de bassins, renforce encore cette sensation onirique qui s'apparente alors à l'un de ces songes jungiens archétypiques de *montée inéluctable des eaux*...

En outre, la façon dont les autochtones font face à cet événement récurrent possède quelque chose d'infiniment rassurant. À observer les Vénitiens s'activer sans s'émouvoir davantage dans les lieux inondés, on est soudain gagné par l'espoir que l'homme civilisé puisse parvenir à s'adapter à tout ce qui surviendra. Instant d'euphorie lyrique qui dure peu toutefois, car on se souvient que, d'année en année, la ville s'enfonce toujours plus inexorablement dans la lagune, et il ne reste plus alors, en dernier recours, qu'à appliquer la méthode de Little Nemo : se rendormir profondément pour reprendre le cours de son rêve...

Les sortilèges du vent

J'ai vécu un temps dans un village d'Ardèche nommé Alba-la-Romaine. À certaines périodes en hiver, le mistral pouvait, avec la même obstination un peu démente, souffler pendant une semaine sans discontinuer, instaurant un froid qui vous gelait jusqu'aux os et lessivant le ciel qui virait au bleu pâle cristallin. Dans la grande maison dont j'étais l'hôte et qui, dans ce village de structure médiévale, se serrait frileusement contre ses congénères, je demeurais, tandis qu'un feu de braises couvait dans la cheminée, à écouter longuement — ne manquant pas au devoir de noter mes impressions sur mon inséparable carnet — la clameur impérieuse, tyrannique et incessante du vent, telle celle d'un dieu autoritaire et sans visage imposant son discours monotone.

Contrairement à la plupart de mes voisins qui accusaient ce souffle incessant de vouloir les rendre « mabouls », de les obséder et de les déprimer, j'aimais cette haute présence qui tenait la campagne alentour et le village entier sous sa domination. Elle me semblait manifester l'existence d'une force étrangère à ce qui m'était toujours apparu comme la pathétique et présomptueuse volonté humaine, conférant, du même coup, un sens supérieur à mon destin. J'acceptais sans difficulté, et même avec une certaine joie, de courber la tête sous l'injonction de cette clameur souveraine, dût-elle me bousculer et me transir dès que j'osais mettre le nez dehors et braver la puissance du souffle qui imposait l'humilité aux créatures d'ici-bas. Oui, à bien y réfléchir, le grand vent, ainsi que la furie de la tempête telle que j'avais pu la connaître à certaines heures en Bretagne, m'avait toujours permis de renouer avec ma propre mentalité cryptomystique — à savoir la présence ensevelie au fond de mon âme d'une indéfectible foi dans les pouvoirs d'une instance mystérieuse et prééminente.

Puisque je ne puis désormais, en sus de mes inévitables digressions, me dérober à cette mission devenue mienne d'être un passeur littéraire, je citerai ici — tant ses propos, dans un registre plus sombre toutefois, font écho à mes propres sensations — ce merveilleux écrivain, oublié aujourd'hui j'en ai peur, qu'est Yvonne Pagniez, laquelle, dans un ouvrage relatant ses séjours à l'île d'Ouessant, parle ainsi du grand vent :

> Toujours ce vent, qui jamais ne fait trêve ! Depuis huit jours, sa grande voix hurlante ne s'est pas tue un instant.
>
> La nuit, quand les vivants se terrent dans les maisons peureusement closes, il règne en tyran sur les rochers et les herbes. Il parcourt la lande en tous sens ; torture les maigres buissons, qui se mettent à vivre sous la lune, font en agitant leurs branches des gestes de détresse. Il tourne sur lui-même, follement, avec des sursauts de rage, comme si quelque affreux tourment l'enfermait dans un cercle d'angoisse. Puis soudain libre, — et brisé l'ordre maléfique — il bondit dans l'espace, galopant à pleines foulées vers l'infini de la mer.
>
> On entend, sur la basse puissante de l'Océan qui gronde en mesure, courir son chant sauvage de triomphe et d'étrange douleur ; ses rauquements saccadés, son sifflement sans fin, tendu vers je ne sais quel impossible apaisement.
>
> Je m'éveille en sursauts parfois, au choc des rafales qui frappent plus fort contre ma fenêtre, comme si s'abattait sur la vitre une grêle d'invisibles poings. Et cette plainte dans l'ombre qui ne finit pas ; et cette colère obscure qui monte, qui s'exaspère sans qu'on sache pourquoi, qui annihile le monde extérieur par l'obsédant retour de ses éclats ; — tout cela, qui dit la véhémence des forces élémentaires, inquiète, comme d'aveugles puissances qui nous sont étrangères et cependant, en vertu peut-être d'une parenté secrète, éveille en nous de mystérieux, de troublants échos[1]...

1. Yvonne Pagniez, *Ouessant*, Stock, 1935.

Mais le vent pousse aussi allègrement le voilier où vous êtes embarqué, se dandinant sur une houle légère, en route vers une île grecque dont vous croyez apercevoir au loin, sur l'horizon, les falaises se soulever insensiblement pour vous faire signe d'approcher. La vertu de ce zéphyr est alors de vous communiquer l'alacrité de sa vivacité dynamique. Dans ces moments, le vent, devenu au sens propre « fabuleux », de démon potentiel se métamorphose en génie bienveillant. Il en a souvent été de même au cours de mes randonnées cyclistes lorsqu'il avait l'heureuse inspiration de me pousser dans le dos à la manière d'un camarade compatissant.

Cependant, il me faut maintenant l'avouer, aucune circonstance atmosphérique ne peut m'être plus agréable, plus ensorcelante, qu'une journée de vent par beau temps, tout particulièrement si j'ai la chance de me trouver à proximité d'un bois de pins ou d'une peupleraie dont les ramures bruissent à l'unisson. Les images qui en naissent, bercées par le ressac du vent, parlent de destinations lointaines, de périples aventureux, de sortilèges dans les mers les plus incertaines, là où, plus sûrement que sur un quelconque atlas géographique et au cœur d'atolls inviolés et paradisiaques, se cachent les îles Fortunées !

L'heure soyeuse

Au petit matin, glissant un œil par la fenêtre, je crus tout d'abord être dupe, une fois de plus, d'un réveil simulé par le songe. La neige épaisse, primordiale, celle des contes et légendes, avait étouffé l'ordinaire frénésie urbaine sous une chape de silence surnaturel. J'étais étonné et ravi de ce soudain retour au calme par la grâce d'une si simple intercession : ces doux flocons, presque fantasmatiques, descendus du ciel comme de minuscules angelots pacificateurs ! L'ancienne ferveur enfantine, enfouie sous les décombres du temps, de la lassitude, avait resurgi en moi et je contemplais les toits, les jardins muets et extatiques — comme sanctifiés par la blanche apparition ! — à la façon dont les gosses agglutinés devant la vitrine du grand magasin scrutent avec recueillement l'âne, le bœuf et les santons dans la crèche.

S'il est une chose que tout le monde ressent, c'est bien l'enchantement des premières minutes où, après une matinée de ciel bas et indécis, telles de petites plumes échappées d'un édredon céleste, les premiers flocons se matérialisent dans l'espace. Ces instants me sont toujours apparus comme une sorte de rémission dans la fièvre du monde trépidant d'aujourd'hui et il est rare que mes contemporains, si affairés puissent-ils être, ne l'accueillent pas avec une gratitude recueillie.

Aucun poète, à ma connaissance, n'a mieux parlé de cet instant que le bien nommé Alexis

Léger (et peut-être est-il bon de préciser, pour la meilleure compréhension de certaines images, que cet extrait est tiré d'un poème qui fut écrit dans une grande ville américaine) :

> *Nul n'a surpris, nul n'a reconnu, au plus haut front de pierre, le premier affleurement de cette heure soyeuse, le premier attouchement de cette chose fragile et très futile, comme un frôlement de cils. Sur les revêtements de bronze et sur les élancements d'acier chromé, sur les moellons de sourde porcelaine et sur les tuiles de gros verre, sur la fusée de marbre noir et sur l'éperon de métal blanc, nul n'a surpris, nul n'a terni*
> *cette buée d'un souffle à sa naissance, comme la première transe d'une lame mise à nu... Il neigeait, et voici, nous en dirons merveilles : l'aube muette dans sa plume, comme une grande chouette fabuleuse en proie aux souffles de l'esprit, enflait son corps de dahlia blanc*[1].

Saint-John Perse le suggère fort bien, l'apparition de la première neige revêt un caractère quasi mystique, telle une calme respiration yogique insufflant son rythme spirituel au monde agité des humains. Les enfants ne s'y trompent pas qui, dès l'apparition des premiers flocons, sont pris d'enthousiasme lyrique.

Un jour de grande neige, il y a bien des années, je téléphonai à mon père en fin d'après-midi. À sa manière pudique et faussement distante, il me confia qu'il se souvenait, étant enfant, d'avoir passé plusieurs heures de l'après-midi, dans le jardin du Luxembourg et par une journée de neige toute semblable, à rouler une énorme boule qui avait fini par atteindre la hauteur de ses épaules de dix ans. Cependant, à la tombée

1. Saint-John Perse, « Neiges », *Pluie* (*Œuvres complètes*, Gallimard, « Bibliothèque de la Pléiade », p. 157).

du jour, il fut soudain interrompu par les sifflets des gardiens évacuant le parc et il dut abandonner sa boule dans une allée latérale — en face du lycée Montaigne pour être exact — terriblement à contrecœur. Or, après un temps d'arrêt, comme s'il hésitait devant cette confidence, il ajouta : « Il y a soixante ans de cela, vois-tu, Denis ! Pourtant à cet instant, j'ai presque la certitude qu'elle doit m'attendre encore là-bas, à l'endroit exact où je l'ai laissée ce soir-là[1] ! »

Le temps suspendu et le problème du *carpe diem*

> *Ô temps ! Suspends ton vol, et vous, heures propices !*
> *Suspendez votre cours :*
> *Laissez-nous savourer les rapides délices*
> *Des plus beaux de nos jours !*
>
> Alphonse de Lamartine[2]

Suspendre le temps qui passe est sans doute un des plus vieux rêves de l'humanité pensante

1. Les quelques lecteurs attentifs à ce que j'ai pu écrire auparavant remarqueront sans doute et me pardonneront — du moins je l'espère — d'avoir repris dans ce livre, en les modifiant légèrement, trois courts textes déjà parus sous forme de poèmes dans mon recueil intitulé *La faculté des choses* (Le Castor Astral, 2008). J'ai pensé que ceux-ci s'inscrivaient naturellement dans le thème traité ici, et méritaient d'avoir ainsi une seconde chance d'être lus, puisque, de nos jours, on le sait, un recueil résolument poétique ne rencontre plus guère de lecteurs.

2. Alphonse de Lamartine, « Le lac », *Méditations poétiques* (*Méditations poétiques — Nouvelles méditations poétiques* suivi de *Poésies diverses*, Gallimard, « Poésie/Gallimard », 1981).

et donc une probable utopie liée au développement excessif de la conscience. Aussi l'interpellation de Faust à l'adresse de l'instant présent — « Arrête-toi, tu es si beau ! » — demeure-t-elle sans conteste l'une des supplications les plus poignantes de notre psychologie d'hommes modernes sans cesse harcelés par la fuite du temps. On peut même dire, je crois, que ce thème sous-tend l'essentiel de la littérature d'aujourd'hui, Proust en étant, bien entendu, la figure emblématique.

Dès l'aube du XIXe siècle, cette préoccupation commençait cependant de tarauder les consciences et le philosophe Ralph Waldo Emerson affirmait déjà que « la mesure de l'homme était sa manière de saisir une journée ».

(À cette aune, hélas, l'homme contemporain donne l'image d'un pauvre écureuil emprisonné qui tourne indéfiniment dans sa cage pour tenter d'évacuer son énergie surnuméraire. Ne suffit-il pas d'observer, depuis le haut d'une de ces tours qui les surplombent invariablement, la ronde « insomniaque » des automobiles sur le boulevard périphérique d'une grande ville, pour avoir l'intuition confondante que tout cela n'est qu'un prétexte inconscient à satisfaire une téléologie (c'est-à-dire une finalité universelle) impérieuse : le salut de l'âme par l'activité incessante ? Méthode de rédemption promue depuis maintenant plus de deux siècles (à partir de la Révolution française, en fait[1]) par l'économie anglo-

1. L'anthropologue Louis Dumont, dans sa série d'ouvrages intitulée *Homo Æqualis*, traitant des structures mentales de la société occidentale, fait de la Révolution française l'aboutissement indirect de la réforme protestante et la nomme en conséquence « La révolution individualiste », l'opposant ainsi au « holisme » des sociétés traditionnelles plus hiérarchisées.

saxonne qui, on le sait, nourrit une foi indéfectible, voire fanatique, dans les bienfaits de l'activisme trépidant et de l'industrie généralisée. Téléologie qui, pour tout observateur de bon sens, c'est-à-dire non contaminé par un raisonnement de logique mathématisante, ne peut trouver son exhaussement que dans une résorption progressive, voire un anéantissement, de la diversité qui caractérise le cosmos. Ce qui est évidemment contre nature.

L'intuition ne nous effleure-t-elle pas, lorsque, dans n'importe quel musée d'histoire naturelle, nous prenons le temps d'admirer les spécimens d'une même espèce alignés les uns à côté des autres — papillons, oiseaux, batraciens ou poissons — que la « nature naturante », chère à Spinoza, se serait toujours soumise à une sorte de dessein musical et ludique comparable à une infinie variation autour d'un même thème ? Variation subtile que, précisément, le logicien pressé de vérifier sa théorie globalisante se hâtera d'enfermer dans une similarité qui n'est pourtant que partielle, évacuant ainsi la délicate, parfois infime, mais bien présente, singularité de chaque individu.

Oui, cette dialectique de l'un et du multiple demeure sans doute le mystère sur lequel la pensée moderne devrait plus sérieusement se pencher, si toutefois nous voulions éviter de sombrer dans l'uniformité entropique qui nous guette au travers de la technologie triomphante — laquelle ne tend qu'à une seule chose apparemment : nous mener pieds et poings liés vers ce sinistre point oméga, cette désespérante noosphère prônée par Teilhard de Chardin, à savoir l'établissement sur la planète entière d'une seule grosse bulle anthroposphérique, au sein de laquelle tout accident divergent aurait été éradiqué.

La gloire du Dieu unique — du monothéisme — dans toute sa triomphante « globalisation » en somme...

Préfiguration d'un monde dont il me semble que rend compte cette expérience effectuée il y a quelques années par des sociologues américains. Ceux-ci avaient eu l'idée de confronter les images d'un film tourné depuis un hélicoptère (qui avait enregistré, durant des heures, la circulation automobile autour d'un gigantesque parking de supermarché) avec les images d'un autre film ayant enregistré pendant un temps équivalent les entrées et les sorties d'une grande fourmilière. Or ces chercheurs eurent la surprise de constater qu'en soumettant à une analyse mathématique comparative les allées et venues des automobiles et des fourmis, on obtenait finalement un algorithme identique. Autrement dit : les automobiles apparaissaient, tournaient et surtout se garaient sur les places de parking vacantes avec la même fréquence rythmique que les ouvrières entraient et sortaient de la fourmilière. L'article de la revue de vulgarisation scientifique où j'avais relevé cette information n'allant cependant pas jusqu'à nous dire — objectivité scientifique oblige ! — si l'on devait se féliciter ou déplorer cette analogie.

Un humoriste anglais du XIX*e siècle — Max Beerbohm — avait pourtant, en l'occurrence, parfaitement résumé la situation : « Les fourmis, avait-il déclaré, sont certes un exemple pour nous tous, mais peut-être pas le meilleur ! »)*

Quoi qu'il en soit de la pathétique manière qu'a l'homme d'aujourd'hui de ne pas « saisir ses journées » mais d'être saisi par elles — dont une bonne image pourrait être celle du lévrier poursuivant le lièvre artificiel sur le cynodrome —, il n'en reste pas moins que le recours au *carpe diem* reste lui-même un leurre problématique dont il me semble que personne n'a mieux circonscrit le mirage que Thomas Mann dans *La montagne magique*. On le sait, une bonne partie de ce livre est consacrée aux discussions philosophiques entre Settembrini, l'humaniste généreux, et Naphta, l'intellectuel cynique. Ces controverses, qui tournent à la fois autour du sens à donner à la vie et autour de la question du bonheur, se poursuivent dans un style abstrait et cérébral. Or, à un certain moment, surgit, telle une apparition mythologique — munificent, bon vivant et escorté de femmes splendides — le fameux Mynheer Peeperkorn, riche négociant hollandais raffiné et viveur. Presque immédiatement, les deux contradicteurs tombent d'accord : foin de toutes leurs élucubrations sur le sens de l'existence et la survie éventuelle de l'âme, Peeperkorn est celui qui détient la vérité du « savoir vivre » car il a perfectionné l'art de saisir le présent avec dextérité et opportunisme et cela sans sacrifier ni à la vulgarité ni au conformisme stérile des urgences modernes. Il est celui qui sait « arrêter l'instant » au cœur des moments privilégiés qu'il a su se créer. Tous deux, confessant alors leurs erreurs cérébralisantes, se rangent à la philosophie du *carpe diem* incarnée par ce nouveau Bacchus. Hélas, très peu de temps après son arrivée, à la surprise des deux philosophes comme à celle du lecteur, Peeperkorn se suicide. Nous découvrons alors qu'en dépit des apparences, cette philosophie opportuniste du bonheur immédiat a conduit notre eudémoniste à la pire des angoisses : celle du choix de plus en plus fin entre les plaisirs possibles, celle de l'insatisfaction sans cesse renouvelée, bref au vertige de l'inassouvissement perpétuel. L'intention de Thomas Mann semble être, en la circonstance, d'inférer que la solution qui peut paraître la meilleure à une conscience rationnelle — l'abandon à la satisfaction de nos désirs immédiats, la saisie sans arrière-pensée de l'instant présent — est en fait la solution la plus funeste, la plus anxiogène et la moins propice au bonheur, car nous autres, pauvres rejetons de la civilisation occidentale finaliste, ne pouvons être heureux en prétendant nous abstenir de perspectives ultérieures, fussent-elles illusoires. Bref, l'existence de l'humanité occidentale, ainsi que l'avait si bien vu Nietzsche, ne peut se passer de la permanente projection vers l'avant qui constitue notre indispensable *illusion vitale*.

Écoutons un instant, ici, ce que nous déclare Claudio Magris :

> Comme l'horloge qui en marque le rythme, la réalité est un engrenage, une organisation du goutte-à-goutte, une chaîne de montage orientée toujours et uniquement vers la phase successive. Celui qui aime la vie doit peut-être aimer son jeu d'emboîtements, s'enthousiasmer non seulement pour un voyage vers des îles lointaines, mais aussi pour les démarches administratives relatives au renouvellement de son passeport. La « Persuasion[1] », qui répugne à cette mobilisation générale quotidienne, c'est l'amour pour quelque chose d'autre, qui est plus que la vie et ne luit que par éclairs pendant les pauses, les interruptions, quand les mécanismes sont arrêtés, que le gouvernement et le monde entier sont en vacances — au sens fort où « vaquer » évoque le vide, le manque,

1. Claudio Magris fait ici référence au concept majeur de la philosophie de Carlo Michelstaedter, tel qu'il est exposé dans son unique livre écrit avant de se suicider (lui aussi !) à l'âge de vingt-trois ans et intitulé *La persuasion et la rhétorique*.

l'absence —, et que n'existe plus que la lumière haute et immobile de l'été[1].

Ce pourquoi il semblerait que la question de la suspension temporelle, dont je tente ici d'examiner la valeur, exige, pour être pleinement et heureusement vécue, un doigté particulier, un sens aigu du dosage et du rythme appropriés à chaque situation ; que nous ne soyons donc en mesure de suspendre le temps que très fugitivement et qu'il faille nous contenter d'installer au cœur même de la durée de simples et éphémères points de suspension. Ce qui revient à dire que vouloir arrêter le temps est sans doute non seulement dangereux et inutile (puisque son existence même conditionne la possibilité de sa suspension), mais surtout utopique. Vouloir interrompre la marche du temps serait en conséquence aussi vain que de vouloir freiner la Reine blanche en pleine course, ou bien même — plus présomptueux encore ! — de prétendre ralentir un Bandersnatch !

« Regardez ! Regardez ! s'écria Alice en tendant vivement le doigt. Voilà la Reine blanche qui court tant qu'elle peut à travers la campagne ! Elle vient de sortir à toute allure du bois qui est là-bas... Ce que ces Reines peuvent courir vite !

— Elle doit sûrement avoir un ennemi à ses trousses, dit le Roi sans même se retourner. Ce bois en est plein.

— Mais est-ce que vous n'allez pas vous précipiter à son secours ? demanda Alice très surprise de voir qu'il prenait la chose si tranquillement.

— Inutile, inutile, répondit le Roi. Elle court beaucoup

1. Claudio Magris, *Danube*, traduit de l'italien par Jean et Marie-Noëlle Pastureau, Gallimard, « Folio », 1990.

trop vite. Autant vaudrait essayer d'arrêter un Bandersnatch[1] ! »

Il se trouve qu'une fois, il y a bien longtemps (une trentaine d'années peut-être), durant cette période de ma jeunesse à laquelle j'ai déjà fait allusion auparavant (celle où j'avais désiré à la suite d'Ernst Jünger — dont j'avais lu avec passion l'ouvrage intitulé *Approches, drogues et ivresse* — expérimenter d'un point de vue philosophique les divers stupéfiants existants), oui, il se trouve qu'une fois, j'ai en effet réussi à immobiliser le temps, et ce fut une expérience terrifiante !

Judith et moi séjournions seuls pour une dizaine de jours dans un manoir breton des environs de Morlaix. L'endroit, non loin de la mer et parfaitement romantique, nous parut idéal pour tenter l'expérience d'ingurgiter les deux petites doses de mescaline que nous avions réussi à nous procurer.

Nous étions en automne, et un certain après-midi de grisaille et de bruine, nous nous installâmes sur des divans dans le grand salon et avalâmes chacun notre capsule. Il ne se produisit d'abord rien de notable puis, soudain, je vis le mur en face de moi se gonfler inconsidérément, puis se rétracter, comme s'il avait été un immense poitrail en train de respirer. Je dois dire que la chose eût pu être effrayante si je n'avais été imprégné, à cette époque, d'une foule d'écrits sur les phénomènes de perception. Il m'apparut

1. Lewis Carroll, *À travers le miroir*, *op. cit.*, dans le chapitre « Le Lion et la Licorne ».

donc — car, comme je devais le constater par la suite, les hallucinations les plus extrêmes n'entament qu'assez peu la faculté de raisonner — que cette première impression n'était due (ce que je savais pour l'avoir lu) qu'à la puissance démultipliée de ma perception habituelle, laquelle faisait que des variations de la lumière absolument infimes et habituellement imperceptibles étaient désormais prises en compte par mon appareil sensoriel. Par la suite, je pus vérifier le bien-fondé de cette observation : ayant entendu un grattement continu tout près de mon oreille — comme d'un sanglier qui eût raclé la terre pour découvrir une truffe — et tenté de repérer la source de ce vacarme, je fus amené à sortir de la maison pour être conduit jusqu'à un minuscule scarabée en train de se creuser un tunnel dans l'herbe ! C'est alors, dans ce même jardin, que j'entendis distinctement chaque parole d'une conversation qui, d'après mes déductions, avait lieu à une distance d'un demi-kilomètre.

Passant sur diverses autres expériences sensorielles ou psychiques qui m'advinrent à cette occasion et qui, pour la plupart — du moins au début du « voyage » —, furent non seulement intéressantes mais exaltantes, je veux en venir à celle qui me terrifia.

Après être demeuré, durant ce qui me sembla un temps infini, totalement absorbé par les irisations colorées d'une aile de papillon séchée restée coincée dans une rainure de parquet (comme si les couleurs avaient irradié aussi puissamment que les lueurs d'une lanterne magique), et que toutes mes perceptions habituelles, aussi bien intérieures qu'extérieures, eurent été modifiées au point de me présenter le monde sous des aspects inusités, ne serait-ce que le visage de Judith, en face de moi (qui m'apparaissait tout à fait semblable à celui d'une Néfertiti extra-terrestre !), assez progressivement en fait, le temps se ralentit à tel point que l'idée même de me déplacer dans le salon pour aller jusqu'au cabinet de toilette distant de quelques mètres me parut aussi improbable qu'un voyage intergalactique. J'avais le sentiment qu'il m'aurait fallu des années pour parvenir jusque-là. Et ainsi, en réalité, des moindres mouvements à effectuer : soulever un bras pour saisir un verre, par exemple, me paraissait une tâche insurmontable et si je parvenais néanmoins à m'y obliger, la chose se déroulait avec une telle lenteur que son intérêt se perdait en chemin et que le plus simple semblait encore d'y renoncer.

En vérité, je me sentais comme un psychonaute embarqué dans une dimension temporelle différente, observant un nouvel univers depuis la capsule spatiale de son esprit intact. C'est sans doute cette dichotomie entre ma raison raisonnante qui continuait de fonctionner sans altération et ma perception des choses qui me plongea dans la terreur. De fait, plus mon corps éprouvait cet alourdissement général, plus mon esprit éprouvait le besoin de retrouver la rapidité des minutes et des heures ordinaires. Je découvrais, en réalité, combien leurs vitesses variables — leurs accélérations, comme leurs relatifs ralentissements — étaient le support de nos émotions. Sans la dramaturgie du moment avec son début, son milieu et son dénouement, l'existence semblait s'étirer dans un calme plat interminable et proche du néant.

L'expérience aurait sans doute pu être édifiante si je n'avais alors été saisi par la crainte de demeurer à jamais englué — à l'instar de mon incapacité à me déplacer jusqu'aux toilettes — dans cette pesanteur paralysante semblable à celle qui vous saisit dans certains cauchemars.

Pour en terminer avec cette étrange mésaventure, la vérité m'oblige à dire qu'après la dissipation des effets les plus puissants (au bout de quelques heures), je mis un certain temps à recouvrer la vitesse habituelle de mes faits et gestes et que je dus subir cet engourdissement apathique de toute ma personne durant trois longues semaines — preuve, s'il en est, de la dangerosité éventuelle d'une telle expérience. Mais cette quasi-immobilisation du temps, pour effrayante qu'elle ait pu être, m'avait été d'un précieux enseignement. De même que seul le malade peut connaître le prix de la bonne santé ou le prisonnier le véritable privilège de la liberté, seul celui qui a expérimenté l'arrêt de la durée ordinaire — celle à laquelle notre espace mental a été conformé depuis toujours — peut estimer à sa juste valeur le rapide passage des heures et éprouver dans son corps ce que son raisonnement lui avait déjà suggéré auparavant mais que sa sensibilité usuelle refusait de valider : que la vie ne prend toute sa valeur qu'en fonction de la fuite du temps.

Le temps de la liberté intérieure

> *Les grands fleuves sont l'image du temps,*
> *cruelle, impersonnelle. Observés d'un pont*
> *ils étalent leur néant inexorable.*
> *Seul, méandre indécis, quelque marais*
> *couvert de joncs, quelque nappe d'eau*
> *luisant dans l'épaisseur des broussailles et de la mousse*
> *peut révéler que l'eau, comme nous, se pense*
> *avant de se faire tourbillon ravageur...*
>
> Eugenio Montale[1]

J'ai passé deux hivers à lire et annoter Bergson à la bibliothèque Sainte-Geneviève de Paris, dans une sorte de transe, je dois dire, non seulement parce que cette pensée lumineuse, portée sur les ailes d'un style sans pareil, m'exaltait, mais aussi parce que le cadre — plus ou moins néomédiéval — de la salle de lecture, ainsi que son atmosphère feutrée et studieuse, m'enveloppait dans une dimension temporelle tout à fait idoine. S'il est un domaine où Bergson excelle particulièrement à mes yeux, c'est bien celui qui concerne la question du temps ! Sa conception de la *durée* qui soutient nos existences et ne

1. Eugenio Montale, « L'Arno à Rovezzano », *Poésies* (tome V), traduit de l'italien par Patrice Dyerval-Angelini, Gallimard, 1980.

peut être saisie que par l'intuition et non point par le raisonnement intellectuel (moins encore par aucune mesure chiffrée ni aucune méthode mathématique) m'est tout simplement apparue comme relevant d'une évidence confondante. Au temps objectif de la pensée mécaniste — celui des horloges, découpé en heures, minutes et secondes — Bergson oppose le temps subjectif ou « durée ». Selon lui, en prétendant mesurer le temps, les mécanistes ne font en réalité que mesurer de l'espace — celui, par exemple, que parcourt l'aiguille de l'horloge, le sable dans le sablier ou encore les espaces indéfiniment divisés que franchit Achille pour tenter de rejoindre la tortue —, ce qui veut dire qu'ils ne font ainsi que spatialiser le temps en ignorant son essence, laquelle, à l'image du plus simple mouvement (tel le pas de course d'Achille) est immesurable. Pour Bergson, le temps réel — la durée — est une dimension élastique de la conscience dont nous pouvons avoir le sentiment en nous-mêmes lorsque, selon les circonstances et nos dispositions mentales, les heures paraissent s'allonger ou se rétrécir. Une des manières de palper la matière du temps vécu étant, par exemple, de méditer sur l'impatience qui nous saisit dans les moments d'attente. Il y a mieux encore, car cette durée est une valeur ontologique, une donnée de l'être intime, l'étoffe même de notre moi profond. Or, et c'est là qu'à mon sens la pensée bergsonienne prend toute sa puissance, ce sentiment de la durée dont nous avons l'aperception intime par la seule intuition est la meilleure occasion qui nous est offerte — résistant au temps des horloges auquel nous contraint la vie sociale — de conquérir notre liberté individuelle :

> Nous sommes libres quand nos actes émanent de notre personnalité tout entière, quand ils l'expriment, quand ils ont avec elle cette indéfinissable ressemblance que l'on trouve parfois entre l'œuvre et l'artiste. En vain on alléguera que nous cédons alors à l'influence toute-puissante de notre caractère : notre caractère c'est encore nous[1].

Précieuse leçon de liberté que l'humanité d'aujourd'hui — souvent inconsciente de son esclavage temporel — devrait méditer sérieusement. Toutefois, Bergson ne prétend nullement voir un acte libre dans toutes les manifestations de notre subjectivité. Il distingue principalement deux niveaux de conscience : celui du moi superficiel, constitué d'idées toutes faites, de préjugés sociaux, de lambeaux de connaissances — lequel nous rend dépendant des modes et des stéréotypes ambiants —, et celui du moi profond où résident nos connaissances bien assimilées : nos goûts authentiques, nos choix longuement mûris et, avant tout, notre capacité de liberté.

On saisit mieux à ce stade l'influence décisive que Bergson a eue sur Proust, qui distinguera les pensées *mondaines* issues du « petit-moi » et les considérations spirituelles conçues par le « grand-moi », sachant que pour Proust la liberté et la vie réellement vécue, le bonheur même, ne peuvent se rencontrer qu'à travers les stimula-

1. Henri Bergson, *Essai sur les données immédiates de la conscience*, PUF, 1970.

tions fortuites ou subtilement provoquées par nos souvenirs.

Le très fameux épisode de la madeleine demeure, en ce sens, le passage le plus emblématique de cette chasse au bonheur proustienne liée aux résurgences de la mémoire. Or, relisant récemment la *Recherche* dans l'édition établie par Jean-Yves Tadié (qui comporte les addenda et les esquisses), j'ai eu l'heureuse surprise de tomber sur le premier jet concernant ce fameux épisode.

On s'en souvient, le narrateur sent que quelque chose d'*extraordinaire* se passe en lui au moment où la gorgée de thé mêlée à des miettes de madeleine touche son palais. *Un plaisir délicieux* qui lui rend *les vicissitudes de la vie indifférentes, ses désastres inoffensifs, sa brièveté illusoire*, qui lui ôte le déboire de *se sentir médiocre, contingent, mortel*. Il s'interroge pour savoir d'où peut bien lui venir cette *puissante félicité* et *pressent qu'elle est liée au goût du thé et des miettes, tout en étant cependant d'*« *une autre nature* ». Il prend alors une seconde gorgée qui n'apporte rien de plus que la première et ensuite une troisième qui apporte encore moins que la précédente, et il réalise que cette sensation exaltante n'est pas spécifiquement contenue dans la saveur elle-même mais dans ce qu'elle a déclenché en lui. Il tente alors de porter son attention sur le processus sans réussir à en remonter le fil causal. Comme il sent que son esprit se fatigue à cet exercice, il décide de faire une *suprême tentative*, s'obligeant à se concentrer sur cette *saveur goû-*

tée dans le thé mêlé de gâteau. Il sent alors *tressaillir* en lui-même *quelque chose qui se déplace, voudrait s'élever, comme une ancre qu'on détache, à une grande profondeur* et, sans savoir ce dont il peut s'agir, il perçoit que *cela monte lentement*, il en *éprouve la résistance et entend la rumeur des distances traversées*. Cependant, pourra-t-il faire revenir à la surface *l'instant ancien, que l'attraction d'un instant identique est venue de si loin solliciter, émouvoir, soulever tout au fond de lui*, puisque, désormais, il *ne ressent plus rien*, que *tout est arrêté et peut-être ne remontera-t-il jamais de sa nuit*... ?

Ici, il est impossible de ne pas citer intégralement le texte :

> Dix fois il me faut recommencer, me pencher vers lui. Et chaque fois la lâcheté qui nous détourne de toute tâche difficile, de toute œuvre importante, m'a conseillé de laisser cela, de boire mon thé en pensant simplement à mes ennuis d'aujourd'hui, à mes désirs de demain, qui se laissent remâcher sans peine.

Précédemment, j'ai à la fois paraphrasé et reproduit le texte définitif, mais c'est à partir de maintenant que Proust a corrigé en supprimant — à juste titre pour conserver la fluidité du texte me semble-t-il[1] — l'explicitation qui va suivre, laquelle, d'un point de vue philosophique, est néanmoins du plus haut intérêt :

1. Proust nous explique quelque part, autant que je m'en souvienne, que l'auteur « ne doit pas réfléchir devant le lecteur, mais lui *donner à penser* ».

Et pourtant, déjà, si je n'ai pas pu identifier le souvenir, je me suis élevé à la raison du plaisir qui le précédait et que sa « reconnaissance », sa notion claire n'a pas suivi. Cette raison c'est qu'en nous il y a un être qui ne peut vivre que de l'essence des choses, laquelle ne peut être saisie qu'en dehors du temps. En elle seulement il trouve sa subsistance, ses délices, sa poésie. Il languit dans l'observation du présent, où les sens ne lui apportent pas cette essence des choses, il languit dans la considération du passé, que l'intelligence lui dessèche. Il languit dans l'attente de l'avenir que la volonté construit avec des fragments du passé et du présent qu'elle rend moins réels encore en leur assignant une affectation utilitaire, une destination tout humaine. Mais qu'un bruit, qu'une odeur déjà perçus autrefois, soit pour ainsi dire entendu, respiré par nous à la fois dans le passé et dans le présent, réel sans être actuel, idéal sans être imaginé, il libère aussitôt cette essence permanente des choses, et notre vrai moi qui depuis si longtemps était comme mort, s'éveille, s'anime et se réjouit de la céleste nourriture qui lui est apportée. Une minute extratemporelle a recréé pour la sentir l'homme extratemporel. Et que celui-là pourrait-il craindre de l'avenir ?

(J'aimerais introduire ici une digression d'ordre presque psychanalytique (une fois n'est pas coutume) : je me demande si les exégètes proustiens ont remarqué cette sorte de lapsus — mais est-ce un lapsus ? — qui fait dire à Proust « la céleste nourriture qui lui est apportée », lorsqu'on sait que ce fut précisément Céleste (Albaret) qui lui apporta quotidiennement sa nourriture dans son antre de création ?)

L'ascendant de Bergson sur Proust est ici patent. C'est bien par la reconnaissance de sa propre « durée intérieure » dont nous a entretenu le premier que l'artiste à la fois affirme son indépendance et libère en lui *cette essence permanente des choses* qui justifiera son existence. Il est impossible de ne pas songer que la leçon du maître a fructifié chez l'élève, car qu'a-t-il fait d'autre, le jeune Marcel, plutôt enclin de par son milieu et sa situation financière à sacrifier ses heures aux plaisirs mondains et aux facilités hédonistes, si ce n'est d'avoir le courage de s'opposer à cette *lâcheté qui nous détourne de toute tâche difficile, de toute œuvre importante* et d'avoir le calme héroïsme de s'enfermer seul, pour vingt ans, face à son œuvre, cultivant avec minutie son *vrai moi* et réanimant en lui-même *l'homme extratemporel* qui dès lors, comme il le précise, n'a plus rien à craindre de l'avenir ?

N'y a-t-il pas là, en effet, une singulière leçon de ce courage artistique qui consiste, pour celui à qui elle incombe, à ne pas se dérober à sa vocation ?

Quelques années plus tard, et peut-être inspiré par son exemple, Bernard Grasset, qui sera son premier éditeur et dont on a trop oublié (en raison de son attitude durant la dernière guerre, hélas !) qu'il fut un remarquable essayiste, écrivit ceci, qui résume parfaitement à la fois le destin du créateur et la trajectoire proustienne :

> ... tel qui est né pour créer n'a pas à choisir. Il n'a pas à comparer les avantages de l'action et ceux de l'écriture. Il a à libérer des forces qui sont en lui et qui se retourneraient contre lui. Le besoin de s'exprimer n'est pas plus lié à la récompense que nous pouvons attendre de notre expression particulière que chez tout homme un besoin quelconque n'est lié à ce que les autres en penseront[1].

C'est donc bien par l'usage d'un certain « emploi du temps » que nous sommes suscep-

1. Bernard Grasset, *Les chemins de l'écriture*, Grasset, 1941.

tibles de conquérir notre liberté intérieure — une liberté intérieure bien différente et, si nous devons en croire ces illustres exemples, probablement plus satisfaisante que la seule liberté physique. N'avons-nous pas, en effet, et tous autant que nous sommes, pu observer quelques-uns de ces êtres qui, dégagés de tout souci financier, disposant d'une liberté presque totale de leurs mouvements et de leurs heures, n'en continuaient pas moins d'être entièrement prisonniers des préjugés de leur milieu ou de leurs croyances personnelles ? Ce qui tendrait à montrer que la vraie liberté et les vraies richesses en ce monde ne s'acquièrent que par notre manière spécifique de conquérir notre vérité intime, c'est-à-dire de « saisir nos journées », dussions-nous — et c'est d'ailleurs ici la grande leçon proustienne — être les prisonniers d'une foule de contraintes, aussi bien intimes que sociales. Le plus fréquemment, hélas, une longue vie suffit à peine à cette libération (du moins au sein des pays réputés les plus « civilisés[1] ») et c'est seulement à l'approche du grand âge, lorsque ironiquement les forces nous manquent pour en jouir, que la vraie liberté (ce *gai savoir,* en somme !) nous est enfin accordée. N'est-ce pas en ce sens d'ailleurs que Picasso disait qu'il lui avait fallu beaucoup de temps pour devenir jeune ?

1. À première vue, il semblerait que dans les cultures dites archaïques ce problème du gaspillage de la jeunesse par le conformisme social ne se pose pas, car l'intégration à la communauté s'y fait naturellement. Par ailleurs, concernant cette question, les Anglais — eux aussi socialement fort contraints — ont un dicton qui est intraduisible : « *Youth is wasted on the young.* »

> Picasso estimait qu'il faut un long temps pour devenir jeune. C'est ce que j'ai pu vérifier. Ma jeunesse n'a été que confusion, ennui, détresse... Ainsi à l'angoisse, à la lourdeur, à la grisaille se sont progressivement substitués une quiétude, un profond bonheur d'être, une clarté qui ne s'éteint plus. Je n'ai jamais été précoce, et il m'a fallu atteindre la soixantaine pour pouvoir jouir de cette maturité tant attendue. Et formidable surprise, à la faveur de ce qu'elle m'accordait, je suis enfin devenu jeune. Liberté et jeunesse auxquelles je n'avais jamais goûté et qui furent d'autant plus appréciées[1].

Nicolas Bouvier, dans sa *Chronique japonaise*, nous explique qu'au Japon, pays où les gens sont particulièrement contraints sur le plan social, l'on ne rencontre de personnes réellement singulières que parmi les retraités. Or une information récente — tragi-comique — nous apprend que le Japon du XXIe siècle va devoir faire face à un grave problème de *délinquance sénile*, les Japonais ne commençant à se libérer de l'ultra-conformisme ambiant qui est le leur qu'à la période du troisième âge !

Cette conquête du temps essentiel, synonyme de libération intérieure, il semblerait qu'il existe divers moyens d'y accéder. Si nous observons un pêcheur à la ligne hypnotisé par son bouchon dérivant sur l'onde, des joueurs d'échecs entièrement aspirés par les évolutions stratégiques de leurs figurines, un joueur de tennis magnétisé par la trajectoire de la balle ou tout autre passionné en pleine activité, nous pressentons que

1. Charles Juliet, *Lumières d'automne* (*Journal*, VI, 1993-1996), POL, 2010.

ceux-ci se sont affranchis pour quelques heures des contraintes du temps objectif. On peut néanmoins constater que certaines activités, si elles permettent d'échapper au stress de la vie minutée, ne peuvent que nous faire retomber insidieusement dans un autre piège qui ne favorise en rien la renaissance de l'homme extratemporel dont nous parle Proust. Car de même que j'en fis l'étrange expérience avec la mescaline (et en partie avec le jeu d'échecs, à un moment de ma vie), certaines pratiques, franchissant une subtile frontière psychique, de passe-temps récréatif et poétique, sombrent dans la monomanie, l'aliénation addictive, et deviennent mentalement carcérales. Je doute en effet que les cyberdépendants (qui, comme par hasard, sont légion au Japon) connaissent aucune joie d'ordre spirituel en engloutissant les heures et les journées de leur vie dans le manège implosif et psychotique de leur tournicotage électronique, et prétendument relationnel !... Les journées passionnées d'un musicien, d'un pêcheur à la ligne, d'un rat de bibliothèque, d'un philatéliste, d'un collectionneur de talismans pygmées, d'un peintre, d'un joueur modéré, *voire même d'un écrivain* ne sauraient se comparer à cette noria mentale aveugle tournoyant dans le plus pur solipsisme et qui pourtant (c'est là le drame) est un ersatz, un parfait succédané, une virtualité méphistophélique, de la « vraie vie ». Cette question de la saveur intrinsèque de nos heures n'est peut-être pas aussi accessoire qu'il peut paraître car c'est elle qui distingue finalement le vrai bonheur de son simulacre ; celui-ci ne saurait être entier en effet s'il n'est constitué de ces quasi impalpables particules volatiles, ces *eidola* spirituels qui l'insufflent puissamment. Ernst Jünger nous livre en l'occurrence une excellente comparaison à ce sujet :

> Un aveugle-né, s'il tente d'imaginer la lumière, ne fera jamais que d'imaginer des formes sublimes d'obscurité[1].

Mais s'agissant de cette question cruciale de la qualité inhérente, impossible à programmer et non quantifiable, du bonheur, relisons quelques écrivains qui ont su en parler avec inspiration. D'abord Julien Green :

> Hier, le bonheur est entré tout à coup, comme jadis, et il s'est tenu un instant dans le grand salon silencieux et sombre. Nous étions debout devant une fenêtre et nous regardions la pluie qui tissait son voile dans le ciel obscurci... J'ai senti que le bonheur était proche, humble comme un mendiant et magnifique comme un roi. Il est toujours là (mais nous n'en savons rien), frappant à la porte pour que nous lui ouvrions, et qu'il entre, et qu'il soupe avec nous[2].

« Il est toujours là » et « nous n'en savons rien », et cela parce que, me semble-t-il, nous n'avons pas appris à le guetter, à être attentif à ses discrètes suggestions : le bonheur est une entité si fragile, si délicate et si humble que le fait de devoir s'annoncer lui répugne. Trop de gens, à notre époque, le confondent avec le plaisir, car si celui-ci l'ac-

1. Ernst Jünger, *Le mur du Temps*, traduit de l'allemand par Henri Thomas, Gallimard, 1963.
2. Julien Green, *Derniers beaux jours. Journal, 1935-1939*, Fayard, 1940.

compagne parfois, il n'en est pas une condition sine qua non. J'ajouterai même : au contraire ! En effet, les plaisirs sensationnels, violents — semblables aux drogues dures et aux divers « shoots » émotionnels térébrants d'aujourd'hui — auraient plutôt tendance à épouvanter le bonheur qui, tel le ver luisant, préfère nous faire signe furtivement sur le bord du chemin sans nous éblouir.

Maintenant, Georges Haldas qui, quand il nomme l'invisible, désigne, je crois, l'une des modalités de cet enchantement presque impalpable :

> Je consigne ici que ce soir est un soir comme les autres. Il fait très froid. Bise. Plaques de verglas. Boulevard désert. Café désert lui aussi. Musiquette à la radio. Les garçons, désœuvrés, discutent. Tout est familier. Pourtant l'invisible vous enveloppe. Et vous pénètre. Sans rien pouvoir en dire, je le sens. Au milieu de tout. Et en moi. Je suis percevant cela, comme en état d'alerte. Mais nul, du dehors, ne s'en doute. Et moins encore ne l'imagine. Je suis simplement un homme qui, penché sur sa table, écrit dans un carnet. Toute l'énigme — mortelle — de la vie est dans la conscience de ces instants. De cette présence réelle de l'invisible mêlée à la réalité de ce qui nous entoure. Mais la manière dont je consigne cela ne rend nullement compte du phénomène. De ce qu'il y a de banal en lui, et de stupéfiant[1].

Il est sûr que notre prétendu progrès occidental, désormais presque entièrement dévolu aux valeurs quantitatives, paraît avoir perdu le sens du simple et naïf bonheur — cette dimension qui saute aux yeux à la vision d'une photo de Cartier-Bresson ou de Doisneau montrant des familles en train de pique-niquer au bord de l'eau ou des jeunes gens en train de danser dans

1. Georges Haldas, *Le cœur de tous*, L'Âge d'homme, 1988.

un café parisien des années trente. Le prouve la désuétude consommée de l'expression populaire « être en goguette », qui ne signifie plus rien à une époque où il s'agit de « s'éclater » ou de « se défoncer ». Tout ceci me paraît résumer la déperdition qualitative qui a frappé le monde occidental depuis que l'impératif économique, induisant ceux de la vitesse et de l'étourdissement, a envahi les consciences et entraîné les volontés dans son tourbillon dévastateur. Ernst Jünger a bien montré cette funeste évolution :

> L'Occident a des sciences en grand nombre et il sait faire science du plus infime objet, mais il lui manque la science du bonheur.
>
> Bien plus, on pourrait dire que partout où il pénètre avec ses méthodes et ses instruments, les énergies affluent, il est vrai, mais le bonheur prend congé. Les hommes deviennent plus puissants et plus riches, mais non plus heureux. Dans la mesure où les moyens s'accroissent, la satisfaction disparaît. Vraisemblablement, cette atrophie et cette croissance sont proportionnelles : il faut qu'il y ait déperdition de bonheur.
>
> L'homme qui n'a pas le temps, et c'est là une de nos caractéristiques, ne saurait guère avoir de bonheur. Nécessairement, de grandes sources se ferment à lui, de grandes forces comme celles du loisir, de la foi, de la beauté dans l'art et la nature. Ainsi lui échappent le couronnement, la grâce du travail qui gisent dans le non-travail, et l'accomplissement, le sens même du savoir, qui gisent dans le non-savoir. On le perçoit immédiatement au déclin de ce que nous nommons la civilisation[1].

1. Ernst Jünger, *Le mur du Temps*, *op. cit.*

Bienheureuses temporisations

Peut-être est-ce cela, le péché originel, être incapable d'aimer et d'être heureux, de vivre à fond le temps, l'instant, sans avoir la rage de le brûler, de le faire finir tout de suite. Inaptitude à la Persuasion, disait Michelstaedter. Le péché originel introduit la mort, qui prend possession de la vie, la fait trouver insupportable en chaque heure qu'elle amène dans sa course et oblige à détruire le temps de la vie, à le faire passer vite, comme une maladie ; tuer le temps, forme édulcorée du suicide.

Claudio Magris[1]

Enfant déjà, et encore qu'à cet âge le cours des heures semblât s'étirer naturellement dans une lenteur indéfinie, j'avais commencé de méditer sur le problème de la vitesse du temps et sur la nécessité de ralentir certains moments. J'avais décidé avant tout de me méfier de ceux où j'étais pris d'exaltation, car j'avais repéré que les heures semblaient y flamber à la vitesse d'un feu de paille, m'efforçant alors — souvent en vain — de peser de toute mon inertie pour m'opposer à sa frénésie, à sa précipitation dévorante. Or c'est un exercice qui réclame de savoir conjuguer stratégie et tactique, car il s'agit d'éviter certains endroits, certaines situations, voire certaines personnes qui ont une propension à accélérer le temps.

Je me souviens en l'occurrence, lorsque nous eûmes emménagé dans un appartement au cœur

1. Claudio Magris, *Microcosmes*, traduit de l'italien par Jean et Marie-Noëlle Pastureau, Gallimard, « Folio », 2000.

d'une cité ouvrière, de m'être souvent éveillé, le matin, par un jour de beau temps, en entendant mes camarades du quartier taper joyeusement dans le ballon sous mes fenêtres et de m'être obligé, en dépit de mon intense désir de les rejoindre (moi qui adorais nos parties de foot), à demeurer allongé dans mon lit, dans l'ombre des persiennes, pour réfléchir au grave *problème existentiel* qui se posait à moi. La joie effrénée qui m'attendait dehors n'allait-elle pas m'engloutir corps et âme dans son brasier ardent, jusqu'au soir, et ne me retrouverais-je pas, dans ce même lit, à la nuit tombée, tout aussi démuni et sans défense qu'auparavant, face aux embrouillaminis incontrôlables et parfois terrifiants des rêves nocturnes ? Tandis que l'ennui — celui des jours de pluie par exemple —, avec son long cortège d'heures étirées, dispensait une stable monotonie qui permettait de se sentir exister plus intensément et offrait cette précieuse sensation — fût-elle fastidieuse — de maîtriser la durée, d'en réguler le débit, et plutôt que de s'enflammer comme une torche éphémère dont il ne resterait pas même les cendres du souvenir, de pouvoir souffler longuement sur les braises afin de ranimer la mince flamme du courage.

En réalité, ces considérations ne me retenaient pas bien longtemps et passées les quelques minutes ainsi accordées à mon orgueil mélancolique de philosophe en herbe, je m'habillais en hâte, dévalais l'escalier et m'élançais dehors parmi les autres où, instantanément, le plaisir du jeu conjugué au grand soleil me ravissait à moi-même jusqu'à l'heure du déjeuner.

Ce furent là mes premières confrontations avec le problème des variations de débit dans l'écoulement du temps. Par la suite, j'appris à m'attaquer de façon plus élaborée à cette épineuse question et à mettre en place un arsenal de réponses appropriées aux différentes situations qui s'offraient à moi. Pourtant, de tempérament enthousiaste et naturellement impatient, je devais me chapitrer longuement à l'avance pour parvenir à ne pas m'engouffrer tête baissée dans le brasier ardent de l'exaltation et réussir à canaliser mes engouements. Par bonheur, je découvris assez tôt que l'amour du beau geste, du style élégant ou de ce que les artisans nomment « la belle ouvrage » offrait un précieux répit doublé d'une sorte de béatitude : celle de *se sentir* — telle la boule au sommet du jet d'eau — tenu en équilibre à la pointe du présent ; mieux, permettait de ralentir le temps au cœur même de l'action la plus vive. Les danseurs, j'imagine, doivent connaître ce sentiment de jubilation intense, lorsque leurs mouvements sont en parfaite harmonie avec la musique et qu'ils sentent que cet état de grâce se communique aux spectateurs.

Je finis donc par expérimenter que le perfectionnement stylistique du geste — et cela dans quelque domaine que ce soit — permettait une fugitive mais délicieuse immobilisation du temps au plus fort des turbulences de la vie active. Cet état de calme intemporel évoque celui qu'on dit régner dans l'œil du cyclone et je l'ai connu avec délectation dans ma jeunesse, lorsque, au plus intense d'un match de tennis, je sentais soudain que j'avais intégré le rythme et la cadence idoines ; que non seulement mes gestes me portaient, me permettant — comme si j'avais été téléguidé par une divinité tutélaire — de placer la balle où je le désirais, mais encore et surtout que, désormais, la victoire ou la défaite ne revêtaient plus qu'une importance accessoire comparées au sommet de jubilation intime que pouvait représenter cette gymnastique sur la corde raide de l'instant présent !

J'avais dix-neuf ans lorsque je fus vainqueur du simple B du tournoi de Monte-Carlo (sans doute le meilleur tournoi que j'aie jamais remporté, puisqu'une dizaine de futures vedettes y participaient). Mon souvenir s'apparente à celui d'une transe hypnotique tant j'eus l'impression, durant les sept matchs que je disputai jusqu'à la victoire finale, d'être habité par un double idéal agissant à ma place, me tenant littéralement la main et guidant mes gestes. Bien que je m'attendisse chaque matin à ce que ce jumeau infaillible m'abandonnât, il ne me fit point défaut jusqu'à la fin de l'épreuve. Dès que nous entamions les balles d'échauffement sur le court, je sentais sa présence et je n'avais plus ensuite qu'à me laisser conduire.

Je crois que tous ceux qui se livrent à un entraînement intensif finissent par connaître ce téléguidage de la seconde nature. Le tout étant par la suite — ce qui n'est donné qu'aux natures psychiques exceptionnelles, c'est-à-dire à ceux qui sont appelés à devenir les champions de leur catégorie — de savoir convoquer cet état à discrétion. Pour ma part, je sus très tôt que je n'en serais capable que fort sporadiquement et selon des processus mentaux hors de mon contrôle. Incertitude qui m'interdisait de jamais prétendre à devenir un vrai champion et me réduisait à prier la chance de m'accorder, de temps à autre, cette faveur.

En réalité, je finis par prendre conscience que non seulement le fait de trop analyser les choses — ainsi que la lecture assidue m'en avait très tôt donné le goût — contrariait l'épanouissement du double intérieur, mais encore que mon tempérament hédoniste faisait que, les rares fois où les circonstances me permettaient de rejoindre cet état de concordance totale, j'avais tendance à m'y abandonner avec une certaine volupté plutôt que d'engranger les précieux points du score qui m'auraient assuré la victoire. Aussi étais-je sans cesse surpris de constater que mon adversaire, nullement admiratif du brio avec lequel j'avais pu exécuter certains coups, ne se prosternait pas devant moi comme devant un demi-dieu des courts mais, bien au contraire, se montrait enclin à contester cette grâce, s'accrochant avec une ténacité rageuse qui finissait invariablement par avoir raison de ma jubilation... J'en fus marri à cette époque, avant de réaliser que mon problème résidait dans une insidieuse méconnaissance de moi-même, à savoir que je n'étais pas assez au fait de mon véritable désir, lequel n'était pas, en l'occurrence, le seul gain du match mais de rejoindre cet état d'équilibre funambulesque sur le fil de l'instant. La haute compétition n'était donc pas faite pour un rêveur méditatif de mon acabit !

Lors d'une interview que j'ai lue récemment, Sylvain Tesson, sans doute notre meilleur « écrivain voyageur », à l'inéluctable question du *Pourquoi voyager ?*, fournit cette réponse lumineuse : « Pour ralentir le temps ! » De fait, chacun a pu le constater, lorsque nous partons et abandonnons nos habitudes sédentaires, le temps s'allonge inespérément. La raison en est, selon moi, que lorsque nous sommes confrontés à une foule de choses nouvelles, nous retombons dans une sorte d'innocence perceptive qui entrave la niveleuse conceptualisation, laquelle oblitère les détails inutiles à l'action. Lorsque nous nous extirpons de nos cadres coutumiers, notre regard et tout notre entendement s'arrêtent sur la disparité inscrite à la surface des choses et l'émerveillement peut de nouveau faire brèche dans la carapace de notre fonctionnement utilitariste.

Ce brusque arrêt de la conceptualisation est ce dont j'avais fait l'expérience avec la mescaline qui, tout en me faisant redécouvrir l'incroyable complexité esthétique d'une seule aile de papillon, avait radicalement interrompu le cours du temps. Cette mésaventure, pour excessive et même dangereuse qu'elle ait pu être sur le moment, m'avait du moins montré qu'il existait d'autres moyens que le voyage géographique pour échapper aux cadres ordinaires de la perception et pour rétablir un contact — d'essence extratemporelle et enfantine — avec les subtiles variations du monde environnant. Ce déconditionnement perceptif opéré par le voyage n'est-il pas celui auquel nous invite aussi la pensée extrême-orientale dans son ensemble et qui culmine avec le bouddhisme zen ?

Karen Blixen, dans *La ferme africaine*, nous raconte que Farah, son fidèle serviteur indien, devant accueillir un sage de son pays, lui demande de bien vouloir le recevoir une journée chez elle, pour l'honorer. Ce qu'elle accepte. Une fois en présence de ce vieil homme charmant, elle doit se rendre à l'évidence qu'il leur est impossible, faute de langage commun, d'échanger par la parole. Aussi passent-ils une après-midi entière à se promener dans sa propriété en communiquant par signes. Or, nous confie-t-elle, en dépit du handicap de la langue, par le simple truchement des mimiques et des gestes, le vieil homme parvient à lui transmettre une foule de choses. De surcroît, et c'est là qu'intervient l'exceptionnelle sagacité de Karen Blixen, l'impression majeure qu'elle retire de cet échange est la sensation d'avoir eu affaire à un être qui combinait de façon inusitée une sagesse millénaire avec la spontanéité ingénue d'un jeune enfant — qualité, ajoute-t-elle, qu'elle avait déjà observée au cours de son enfance (vécue dans les milieux aristocratiques) chez les grands mondains. Cette remarque infère de façon humoristique, bien dans le style tout en finesse qui est le sien, que le même résultat peut être obtenu indifféremment par l'ascèse spirituelle ou par la fréquentation assidue de ses congénères !

Prendre des notes au quotidien est un autre moyen de ralentir le temps et lorsque celles-ci sont consignées au jour le jour par des écrivains voyageurs tels que Blaise Cendrars, Nicolas Bouvier ou Henry de Monfreid, ce bonheur transmigre d'autant mieux de l'auteur au lecteur. Cependant, si je ne souhaite en rien minimiser celui que j'ai à me laisser « temporiser » par eux, le ravissement est plus intense encore lorsqu'il est suscité par ces écrivains qui réussissent à ré-enchanter le monde sans la moindre touche d'exotisme, c'est-à-dire en nous pointant les détails féeriques du quotidien le plus banal. Sous cet angle, il est indéniable que Proust est le plus prodigieux, et c'est même là, selon John Cowper Powys, sa qualité la plus insigne :

> Ce qu'il y a de singulier dans ces « suggestions d'immortalité » chez Proust, c'est qu'*elles se produisent par hasard*, et qu'elles sont liées à des circonstances parfaitement triviales. Ici, comme dans d'autres endroits, nous observons chez notre auteur un manque complet — comme on dirait d'une personne insensible à la musique ou aveugle aux couleurs — de ce ressort particulier de l'âme humaine qui peut être aussi bien la cause d'une grande noblesse de caractère que de l'hypocrisie la plus répugnante, et auquel nous donnons le nom ambigu de « spiritualité ».
>
> Il n'y a rien de spirituel chez Proust ; et c'est précisément ce qui confère une aussi formidable autorité à ses généralisations esthétiques et philosophiques. Ce à quoi Proust nous rend attentifs, et non sans raison, c'est au fait qu'une « suggestion d'immortalité » basée sur l'effet produit sur notre âme par une petite madeleine trempée dans une

infusion de tilleul a plus de poids, de vie et de réalité que tous les arguments intellectuels de Platon en faveur de l'immortalité[1] !

Ces « suggestions d'immortalité » que, pour ma part, j'appellerai, à la suite de Charles-Albert Cingria, des « instants de furtive éternité » sont, par excellence, des moments où nous flottons dans une sorte de no man's land mental au milieu duquel nous perdons partiellement conscience de notre identité et du lieu où nous nous trouvons. L'impression est celle d'un télescopage entre deux ou plusieurs impressions, rêves ou pensées, reliés par des affinités mais surgis de temporalités ou de spatialités parallèles. Souvent, l'idée un peu folle m'est venue que nous subissions alors la visitation d'un état mental ayant appartenu dans le passé, appartenant au même moment, ou devant appartenir plus tard, à quelqu'un d'autre !... Comme si ces fameuses particules psychiques, ces *eidola* migrateurs, chers aux Grecs anciens et venus des lointains de l'espace et du temps, faisaient soudain irruption dans nos esprits à la faveur d'un moment propice.

Ainsi, combien de fois ne me suis-je pas senti envahi au moment le plus inattendu par une image comme décalquée sur ce que j'avais sous les yeux — un double du réel en quelque sorte —, pour laquelle je ressentais une familiarité inexplicable et étonnamment poignante ?

1. John Cowper Powys, « Proust », *Les plaisirs de la littérature*, traduit de l'anglais par Gérard Joulié, L'Âge d'homme, 1995.

Ces moments mystérieux, profondément dépersonnalisants et qui nous prennent toujours au dépourvu, sont comparables au refrain d'une ancienne chanson s'échappant d'une fenêtre ouverte pour nous mener au bord des larmes. Ils représentent l'un des phénomènes de *transmission d'émotions* les plus intenses et sont, eux aussi pour le coup, de singuliers ralentisseurs de temps.

Cela dit, bien entendu, et comme je l'ai déjà indiqué, ces belles échappées hors du *temps qui nous est fait* nous attendent également en de nombreuses autres occurrences.

La musique est assurément une grande pourvoyeuse de ces instants intemporels. La musique classique de l'Inde du Nord, dont je suis un amateur dilettante depuis de nombreuses années, est celle qui me ravit le plus puissamment. Il suffit que j'entende les premières mesures d'un alâp joué au sitar par Nikhil Banerjee, Ravi Shankar ou Ali Akbar Khan ou bien encore au violon indien par Ram Narayan, pour que, presque aussitôt, je me sente transporté dans une sorte d'intermonde où la durée se conforme à la sinuosité de la mélodie. Puis, au rythme des tablas dont la sourde percussion qui fait suite au prélude vient battre comme le pouls lointain et éternel du devenir, je me transforme en un pur esprit délicieusement dégagé des vicissitudes du temps compartimenté. Le moindre choral de la musique sacrée de Bach, de Haydn ou de Vivaldi (surtout s'il est interprété par des baroqueux tels qu'Harnoncourt, Herreweghe ou Christie) suffit à me plonger dans un état similaire.

Une intense décélération se produit invariablement lorsque je franchis la porte d'un musée. Et si, comme c'est souvent le cas, les gardiens somnolent sur leurs chaises et que les salles baignent dans une solitude relative, non seulement le temps se ralentit tel le cours d'une rivière à l'approche d'une retenue, mais mon esprit me semble planer à quelques pas au-dessus de mon corps, car un profond bien-être se dégage des œuvres que mon regard effleure. Je perds alors le sentiment de l'« ici et maintenant » et, m'élevant progressivement dans l'espace, tel Nils Holgersson survolant le monde terrestre sur le dos de l'oie Akka, je me sens devenir inaccessible aux trivialités de l'existence, bienheureusement protégé de l'angoisse de l'éphémère et du périssable par une fraternelle communion esthétique.

S'agissant des orgies cinématographiques auxquelles nous nous livrions, mes camarades cinéphiles et moi, du temps de notre jeunesse, je me prends souvent à regretter ces longs ravissements hallucinés au cours desquels, à travers l'œil de la caméra, nous était offerte la féerie inépuisable du réel. Nous en ressortions au soir, ou bien tard dans la nuit, aussi ébouriffés et aussi peu aptes à affronter la ville trépidante, industrieuse et compétitive qui nous environnait que des oiseaux tombés du nid. Pourtant, notre ardente naïveté nous permettait de croire que nous parviendrions un jour, dans un futur indéfini, à prolonger par nous-mêmes les visions auxquelles nous venions de vibrer intensément... Mais il ne reste aujourd'hui de cet *illusionnisme* juvénile que le souvenir du ravissement hypnotique dans lequel nous plongeait le rythme fluctuant des images papillotant sur l'écran, ravissement qui nous soustrayait mieux qu'un puissant psychotrope à tout ce qui nous effrayait dans le monde du dehors.

Il est, je crois, un fait indéniable : il n'existe, dans le réel, aucune image véritablement fixe, pas même dans notre mémoire. Pourtant, un certain art photographique, lorsqu'il se mêle de dégager au travers d'une image figée un aspect symbolique du monde, peut se targuer de participer à cette dilatation de l'instant qui engendre une jubilation extratemporelle. Ce « coup d'œil » qui est la marque des artistes photographes — assez rares en dépit de la pléthore de clichés qui nous inonde chaque jour — demande un sens aigu de l'allégorique dissimulé sous l'apparence du hasard, et c'est pourquoi nous sommes toujours avides de redécouvrir de nouveaux instantanés de ce type dans les rétrospectives consacrées à des regards aussi *exacts* que ceux de Cartier-Bresson, Boubat, Doisneau, Willy Ronis, Izis ou Plossu. En revanche, être condamnés, ainsi que cela nous advient régulièrement, à contempler, image par image, un album de photos familial ou un compte rendu de voyage touristique dans une soirée amicale, ressortit clairement d'une forme doucereuse de supplice chinois, car, emprisonnés dans l'un des compartiments les plus étouffants du temps trivial, la respiration du grand large ne nous y emporte plus vers l'ailleurs, et nous sommes impitoyablement ramenés à la cellule de notre moi immédiat le plus étroit.

Certains autres moyens sont propres à temporiser la fuite des heures. L'un d'entre eux, pour moi, est lié aux vieilles habitudes. Car, comme Proust, encore, nous le décrit si pertinemment dans un passage de la *Recherche*, la vieille habitude lorsqu'elle nous prend dans ses bras nous fait oublier le temps, nous transportant, telle une bonne fée, d'un endroit ou d'un instant à l'autre sans le moindre effort.

> Tout d'un coup mon père nous arrêtait et demandait à ma mère : « Où sommes-nous ? » Épuisée par la marche, mais fière de lui, elle lui avouait tendrement qu'elle n'en savait absolument rien. Il haussait les épaules et riait. Alors, comme s'il l'avait sortie de la poche de son veston avec sa clef, il nous montrait debout devant nous la petite porte de derrière de notre jardin qui était venue avec le coin de la rue du Saint-Esprit nous attendre au bout de ces chemins inconnus. Ma mère lui disait avec admiration : « Tu es extraordinaire ! » Et à partir de cet instant, je n'avais plus un seul pas à faire, le sol marchait pour moi dans ce jardin où depuis si longtemps mes actes avaient cessé d'être accompagnés d'attention volontaire : l'Habitude venait de me prendre dans ses bras et me portait jusqu'à mon lit comme un petit enfant[1].

La routine ayant rodé notre organisme et éduqué nos réflexes, les choses s'enchaînent comme d'elles-mêmes sans participation active de notre conscience — laquelle ne fait que vérifier dis-

1. Marcel Proust, *À la recherche du temps perdu*, *Du côté de chez Swann* (tome I), Gallimard, « Bibliothèque de la Pléiade », 1987.

traitement le bon déroulement des opérations. Pour ma part, les bienfaits de l'habitude, je les ai surtout ressentis au cours de mes évolutions sportives et cela non seulement durant mes studieuses séances d'entraînement — répétant indéfiniment les mêmes gestes jusqu'à ce que cette seconde nature, à laquelle j'ai déjà fait allusion, vienne prendre le relais de la volonté et me laisse me glisser dans une sorte de bienheureuse torpeur active —, mais aussi jusqu'au cœur d'un match suffisamment équilibré pour que les balles échangées avec mon adversaire deviennent aussi régulières que la cadence d'un métronome ou les battements d'un cœur paisible. Désormais aussi, lorsque j'effectue mon trottinement quotidien (le long du canal du Nivernais ou bien en suivant le chemin forestier qui mène jusqu'à l'abbaye du Réconfort — la bien nommée), l'effort ne me paraît plus aussi fastidieux qu'à mes débuts, car la sainte habitude paraît actionner mes jambes et, comme le dit Proust, « le sol court pour moi », mon esprit demeurant alors tout à fait libre de vaticiner selon les sollicitations du paysage ou de mes élucubrations les plus fantaisistes…

En fin de compte, c'est peut-être au cours de mes parties d'échecs que j'ai le mieux éprouvé le relâchement de la vitesse du temps. La sensation était à chaque fois de m'être penché avec tant d'attention sur les figurines que j'avais fini — à l'instar d'Alice — par passer à travers le miroir pour intégrer l'étrange et merveilleux monde-échiquier imaginé par le révérend Dodgson. Un monde dans lequel non seulement le temps coutumier n'a plus cours mais où tout est inversé : pour atteindre un but il faut d'abord s'en éloigner, pour rester sur place il faut courir très vite, il est impossible de se « souvenir du futur », un simple fantassin peut devenir reine et enfin, au moment d'étancher votre soif on vous offre un gâteau sec ! Oui, aussitôt que nous nous sommes égarés, nous autres bienheureux naufragés des soixante-quatre cases, dans le labyrinthe enchanté (et sans doute infini) des combinaisons potentielles de nos chères armées de bois, dont la vitesse de déplacement — lente ou foudroyante — est fonction de nos perspectives mentales conjuguées aux fulgurances de notre imagination, il est assez évident que le temps coutumier s'interrompt. Le temps de l'échiquier qui commence alors, et cela en dépit des coups d'œil anxieux que nous pouvons glisser de temps à autre à la pendule chronométrique, est d'une texture toute carrollienne. Son pouvoir d'enchantement est si puissant que, comme Alice alléchée à l'idée de devenir la Reine blanche, nous ne désirons plus revenir à la réalité et au hachis menu des secondes qui la caractérise. Hélas pourtant, vient le moment où la satanée pendule se rappelle à nous sous forme d'un léger clic qui annonce l'écoulement du temps imparti et nous ramène alors dans le salon au miroir où les figurines inertes gisent devant nous à la façon dont nos jouets épars, dans notre chambre d'enfant, étaient soudain frappés en fin de journée d'une terrifiante inertie...

Or ces diverses expériences, au cours desquelles le temps me paraissait avoir passé à la fois très vite et très lentement, finirent par répondre à la question que je m'étais toujours posée quant à l'ambivalence du mot « temps » dans la langue française : la chronologie entretenait bien d'étroits rapports tautologiques avec la météorologie puisque celle-ci, en déterminant nos états d'âme, faisait fluctuer les différentes vitesses auxquelles étaient soumises nos existences.

Il me semble devoir terminer ce chapitre sur l'éventuel ralentissement des heures en révélant ma tactique personnelle vis-à-vis du temps — définitivement puérile, je dois l'admettre : ne cesser de louvoyer sans jamais aller droit au but, procrastiner jusqu'à la limite du supportable, m'appesantir dans l'inertie et l'indécision, bref musarder dans ses méandres afin qu'il me prenne de vitesse et me dépasse sans y prendre garde, puis — pourquoi pas ? — m'abandonne dans un interstice providentiel où la mort elle-même oublierait de venir me dénicher. Bien entendu, je prends conscience à me relire que ce type de tactique face à un adversaire aussi retors que le vieux Chronos lui-même relève, lui aussi, de l'univers carrollien dont j'ai tant de mal à m'évader, bref, ressemble à s'y méprendre à l'une des stratégies échiquéennes échafaudées par le Chevalier blanc en personne ! Aussi est-il préférable, revenant à des solutions moins extravagantes, de citer en ultime conclusion ce qu'Alexandre Vialatte nous dit du *vieux petit temps* :

Je veux seulement faire voir qu'il existe plusieurs sortes d'actualités : celle du grand temps, des journaux et de l'histoire, qui vocifère à travers la planète et couvre la voix des humains. Et celle d'une espèce de petit temps, qui est le tissu même de nos journées. Il y a le grand temps qui fait des tourbillons ; et le petit qui parle à voix basse et marche sur la pointe des pieds ; qui est toujours rempli des mêmes choses, habillé d'une étoffe usée. On le prendrait pour une miette du temps qui serait tombée d'une autre époque. Ce qu'on appelle l'inactuel, c'est l'actuel de toujours. Il semble à l'homme que ces deux temps n'aient ni le même grain, ni la même qualité, la même matière, la même couleur, la même époque. Et que le petit temps soit inactuel parce qu'il est l'actuel de la veille. Mais il sera l'actualité de demain[1].

Le temps comme il vient… et comme il va !

Prendre le temps comme il vient et les hommes comme ils sont, cette sagesse-là vaut mieux que la majesté hautaine.

Henri-Frédéric Amiel[2]

Assis il y a peu dans le salon d'une très vieille amie de mes parents disparus depuis quelques années — une survivante en quelque sorte —, et poursuivant avec elle une conversation languissante comme j'aime à le faire avec les personnes

1. Alexandre Vialatte, « Chroniques de La Montagne n° 552, 1er octobre 1963 », *Chroniques de La Montagne, 1962-1971* (tome 2), Robert Laffont, « Bouquins », 2000.

2. Henri-Frédéric Amiel, *Journal intime*, tome VI, octobre 1865-mars 1868, L'Âge d'homme, 1976, samedi 12 mai 1866.

âgées, j'avais tout loisir, entre les répliques souvent retardées, non seulement de goûter au charme suranné de cet appartement parisien à la décoration inchangée depuis le début du siècle dernier, mais aussi de supputer sur l'évolution du monde actuel — laquelle se révélait en fait plus calamiteuse que les prévisions les plus pessimistes émises à une époque où il eût peut-être encore été possible de réagir — et, prenant soudain conscience que j'étais, à l'instar de l'un de mes personnages favoris dans l'œuvre de Thomas Bernhard, moi aussi engoncé dans *un fauteuil à oreillettes,* j'avais décidé d'adopter une posture mentale similaire, me remémorant opportunément cette phrase prophétique prononcée un jour par un autre Viennois, Ludwig Wittgenstein :

> J'ai dit une fois, et peut-être avec raison : la culture antérieure deviendra un tas de ruines et à la fin un tas de cendres, mais il y aura des esprits qui planeront sur ces ruines[1].

Or donc, assis dans mon fauteuil à oreillettes, écoutant ma vieille amie me raconter certains éblouissements de sa jeunesse vécue dans un temps tout aussi révolu que celui de la Vienne de Thomas Bernhard et de Wittgenstein, n'avais-je pas, moi aussi, le sentiment de planer tristement, si ce n'est au-dessus d'un tas de cendres du moins au-dessus d'une masse de ruines potentielles s'étendant au-delà des rideaux démodés qui encadraient les fenêtres de l'appartement ? Et n'écoutant plus

1. Ludwig Wittgenstein, *Le cahier bleu et le cahier brun*, traduit de l'anglais par Marc Goldberg et Jérôme Sackur, Gallimard, « Tel », 2004.

qu'à demi le récit de mon interlocutrice, n'avais-je pas commencé à laisser s'égarer ma pensée ? Me demandant, par exemple, si philosopher constituait plus qu'une perpétuelle tentative de réorganisation mentale face aux forces entropiques du chaos, de la confusion et de l'insignifiance ? si toute synthèse spéculative, même d'une cohérence parfaite, était plus qu'une bulle éphémère flottant au centre d'un maelström de puissances anarchiques et sans doute privées de la moindre finalité ? s'il n'était pas fatal, en conséquence, qu'un certain nombre d'entre nous ne puissent que regretter amèrement les « grandes certitudes » dont ils avaient été abreuvés dans leur jeunesse ?

Bref, avais-je conclu dans mon fauteuil à oreillettes tandis que ma vieille amie commençait à soupçonner que mon esprit battait la campagne, cette satisfaction éprouvée à ordonner son être intime — ainsi qu'on range sa chambre, qu'on classe ses papiers ou ses collections de bibelots — n'était-elle pas le seul et unique bénéfice de l'acte de philosopher ? Loin, bien loin, en définitive, de toute prétention à découvrir une quelconque et d'autant moins universelle Vérité ?

> On ne le voit pas, mais cela ne change rien, l'époque marche vers l'instauration d'une médiocrité et d'une insignifiance mondiales et planétaires. Ce qui sommeillait depuis si longtemps tend à la domination de la terre, puissamment aidé par la technique, sur laquelle les sots naïfs et les sots savants continuent leurs élucubrations proclamant sa domestication, quand il est clair que c'est elle qui nous domine[1].

1. Kostas Axelos, *Vers la pensée planétaire*, Éditions de Minuit, « Arguments », 1964.

Voici ce qu'avait écrit, il y a une cinquantaine d'années déjà, Kostas Axelos. L'ère des « grandes termitières » qu'il avait anticipée semblait bien être advenue désormais et il semblait également que nous ne soyons plus qu'une poignée d'entêtés à nous réclamer encore d'un humanisme qui n'ait pas sombré dans le pire pragmatisme matérialiste, bref à poursuivre, ici ou là, une résistance d'arrière-garde sans espoir.

Parfois, cherchant malgré tout à distraire le pessimisme qui me hantait et aussi pour tenter de suivre Nietzsche qui préconise de savoir penser contre soi-même, je parvenais à me rasséréner — du moins momentanément — en évoquant quelques leçons dispensées par mes aînés :

Par un certain après-midi pluvieux (je devais être dans ma onzième année), voyant son petit-fils, de nature assez inquiète, très perturbé par une mésaventure de sa vie scolaire, mon grand-père maternel, Joseph Simon, entreprit de me raconter comment, en 1917, alors qu'il n'avait lui-même que dix-huit ans, il s'était trouvé coincé durant trois jours dans un trou d'obus à une centaine de mètres d'une mitrailleuse allemande qui l'eût instantanément fauché s'il avait eu la moindre velléité de se relever pour retourner vers ses propres lignes. Sans manger ni boire, hormis un vieux croûton de pain qu'il avait conservé dans sa musette et l'eau sale boueuse d'une flaque à ses pieds (qui lui avait flanqué la colique), dormant à peine et transi de froid, baignant dans ses propres excréments, il avait alors résolu, pour tromper la peur et l'ennui, de se projeter dans un avenir imaginaire, tentant de se représenter tout ce qu'il serait susceptible de faire une fois tiré d'affaire. Pourquoi donc, m'avait-il alors demandé, n'en userais-je pas de même en m'imaginant tous les plaisirs qui me seraient réservés une fois extirpé de cet imbroglio avec les autorités scolaires qui semblait tant me tracasser ?

Frappé par ce récit et par cette proposition, je parvins à me détacher presque sur-le-champ de mes soucis, et peu de temps après, je jouai de nouveau au tennis sur l'un des courts ensoleillés de mon club des bords de Seine, tous tracas scolaires évanouis.

Un certain soir — j'avais alors seize ans — me voyant fort soucieux, si ce n'est tout à fait angoissé par la conjoncture du moment (c'était l'affaire des bateaux soviétiques approchant de Cuba et menaçant de déclencher une guerre nucléaire entre les États-Unis et l'URSS ; toute la famille restait suspendue au petit transistor qui nous transmettait heure par heure l'évolution de la situation), mon père entreprit de me raconter comment, un peu moins de vingt ans plus tôt, alors qu'il se trouvait dans le train venant de Paris jusque dans notre banlieue, les sirènes avaient retenti, le train s'était arrêté en pleine campagne, toutes lumières éteintes, et comment, tandis que les explosions des bombes alliées couvraient les alentours de leur vacarme presque insoutenable, il s'était allongé sur le sol en compagnie des autres passagers muets de terreur. « Cela faisait cinq ans que la guerre durait, poursuivit-il, et nous étions désormais sans cesse bombardés au péril de notre vie. À cet instant-là, j'ai souvenir d'avoir eu une pensée terrifiante : cette guerre et cette angoisse ne s'interrompraient-elles jamais ? J'ai alors décidé, contre toute évidence, d'avoir confiance en ma bonne étoile. Et voilà, nous sommes ici tous les quatre, ce soir… Bref, cela pour te dire que je ne me croyais pas à ce moment-là en meilleure posture que nous ne le sommes à présent. J'en ai résolu que, dans le danger, le meilleur recours était d'avoir aveuglément confiance en notre bonne fortune, et que si, par malheur, les choses ne devaient pas tourner en notre faveur, il valait toujours mieux vivre jusqu'au bout dans l'espérance. »

Ce petit discours, de par sa proposition philosophique élégante, me rasséréna de façon presque magique. Or si cette fois-là encore, les choses s'étaient inespérément « arrangées » (à l'extrême bord du désastre, toutefois — si l'on veut bien s'en souvenir), je n'ai jamais pu m'ôter de l'esprit que l'attitude proposée par mon père y avait été pour quelque chose.

J'avais plus tard découvert que Stendhal qui, en matière de situation périlleuse, savait de quoi il parlait, préconisait à l'approche du danger une attitude mentale assez semblable : « Décidez d'être courageux, nous disait-il en substance, et très vite vous connaîtrez cette suprême liberté — qui confine au plaisir — d'exercer le courage pour le courage. »

Si je ne doutais en rien de l'efficacité de l'attitude recommandée naguère par mon grand-père, mon père et l'éminent Henri Beyle face à l'imminence des calamités, je n'en avais pas moins actuellement — au point où j'en étais, à savoir enfoncé et somnolent dans mon fauteuil à oreillettes — une déplorable tendance à estimer qu'il n'en allait plus de même face à la subite et inexorable accélération de la déshumanisation mondiale, car je ne pouvais raisonnablement entrevoir la moindre issue à la confusion régnante, les discours les plus optimisants résonnant à mes oreilles (et ce en dépit des oreillettes) comme la plus sinistre volonté de se voiler la face devant l'évidence du danger.

D'autres tactiques — plus minimalistes peut-être — étaient-elles donc devenues nécessaires ?

Difficile de dire pourquoi, par exemple, mais lorsque ce matin-là mon œil avait accroché la démarche à la fois souple, imperturbable et précautionneuse du chat se frayant un passage parmi les herbes du jardin (les choucas des tours qui nichent dans le vieux clocher criaillant en cercle au-dessus de lui pour tenter de l'intimider), un sentiment d'intense jubilation m'avait saisi ; comme si la félicité d'écrire que je m'étais proposée en m'attelant à la rédaction du présent texte s'était en quelque sorte haussée d'un degré supplémentaire à la vue du félin, dont l'allure paradoxale (ne demeurait-il pas en même temps indifférent aux menaces d'en haut et attentif au remuement de la moindre brindille ?) m'était apparue emblématique de l'attitude judicieuse à adopter : nonchalance fataliste globale et extrême disponibilité immédiate.

Cette vision matinale m'avait alors donné l'idée de relire un passage du petit livre de l'auteur suisse Jean-François Duval intitulé *Et vous, faites-vous semblant d'exister ?* :

> Pourquoi ai-je relu *Robinson Crusoé* avec une vraie pointe d'intérêt ? Sans doute parce que notre situation ne diffère pas tellement de la sienne. La planète, pour cause de passions contradictoires au sein de l'espèce humaine, regorge de problèmes quasi insolubles et propres à l'engloutir ; l'humanité a bien du mal à ne pas s'entredévorer ; et la globalisation réduit de plus en plus notre monde à la taille d'un îlot. Il ne nous reste qu'à faire le meilleur usage possible des débris de tout ce qui nous a fondés et soutenus jusqu'ici, des restes d'un passé déconstruit et disparu. Apprenons, comme Robinson, que nous avons bien de la chance d'être des naufragés. Ramassons les petites choses qui viennent journellement s'échouer sur la plage du présent.
>
> Si l'on veut réenchanter le monde, ce ne pourra être que de façon minimaliste. Non pas par de grands récits (religieux, mythologiques, scientifiques) mais en tournant notre intérêt sur des éléments épars, débris des grands vaisseaux qui portaient autrefois notre pensée et nos croyances, choses infimes que notre regard peut s'attacher à féconder. Ce n'est qu'à la quatrième année de son naufrage, si je ne m'abuse, que Robinson se surprend tout à coup à siffloter. Sa modernité, elle est là, dans ce sifflotement qui fait de lui un grand, le plus superbe des minimalistes[1].

À la fin de la dernière guerre, Paul Morand, dans un texte intitulé « Les nouveaux Robinsons », écrivait ceci de similaire :

> Qui sait si, dans un monde où l'on est en droit de craindre que les piliers cèdent et que le toit s'écroule, nous ne serons pas appelés à réaliser ce rêve de tous les enfants : mener pour le restant de nos jours une vie de sauvage, de corsaire, de Mohican, sans cesse en chasse ou en guerre, avec, au

1. Jean-François Duval, *Et vous, faites-vous semblant d'exister ?*, PUF, 2010.

fond du cœur, comme Robinson, le souvenir ébloui d'une civilisation perdue.

Mais si au contraire tout s'arrange et que notre terre se sauve du chaos, peut-être, ayant retrouvé la monotone facilité des années d'antan, regretterons-nous les émotions du temps présent et ces heures où, aidés par la Providence, nous aurons su sortir du naufrage et du désespoir[1] ?

À ce stade de mes élucubrations — un peu rasséréné à vrai dire par cette subtile perspective inattendue proposée par Morand — j'eus l'idée de me mettre à relire ce que j'avais noté sur mon carnet au 1er septembre dernier :

À mes pieds la rivière coule, charriant d'innombrables fétus végétaux par ce jour de grand vent et de grand soleil conjugués : un beau temps de voyage atlantique interminable... Un grand beau temps de souffles bruissant dans les hautes branches pour solliciter les songes... Cependant, le vent qui souffle du nord-est apporte ici le faible ronflement des automobiles sur la départementale. Ce bruit, cette monotonie annihilante des moteurs, ne fait en revanche nullement songer aux voyages, aux beaux voyages potentiels, mais seulement aux déplacements et à l'agitation sans but de mes pathétiques contemporains.

Le courant d'aujourd'hui est puissant (ils ont sans doute ouvert les vannes au barrage de Pannecière) et, par intermittences, je peux entendre le friselis de l'eau contre les berges. C'est en revanche le doux bruit si discret du temps qui passe...

Lorsqu'il m'arrive de lever le nez de mon cahier, je peux observer les graines ailées qui voyagent, planant à quelques centimètres au-dessus de l'herbe de la prairie d'en face, sur l'autre rive où régulièrement des moutons bêlent. De temps à autre, une libellule rase le courant et parfois même se pose sur une feuille qui dérive à la surface de l'eau, puis se réenvole. « Les vies éphémères sont déroutantes... », me dis-je alors.

À vrai dire, j'ai tellement accumulé dans mon arrière-pensée, ces temps derniers, de minuscules faits, de brèves anecdotes, ainsi que de multiples visions pointillistes à confier à ces carnets, que je ne sais plus par quel bout commencer. Comme toujours, bien entendu, il me faut débuter

1. Paul Morand, *Excursions immobiles*, Flammarion, 1944.

par le plus simple, le plus direct, le moins apprêté, c'est-à-dire ce qui me vient naturellement non tout à fait à l'esprit (subtile précision que tout scribomane avéré comprendra) mais sous la plume ; car la plume des anecdotiers de mon espèce paraît vivre d'une vie indépendante — rétive aux injonctions de la volonté. Comme il est difficile, pensé-je encore, d'entièrement s'abandonner à cette spontanéité de l'expression sans sombrer dans l'insignifiant, de conserver l'équilibre, le dosage exact entre superfétation et nécessité, de manière à ce que les « détails significatifs et suffisants », si chers à Tchekhov, viennent s'imposer d'eux-mêmes sur la page !

Pourtant, une fois relu ce passage, ne m'étais-je pas posé la question de savoir si une attitude contemplative face à la démoralisation générale participait de l'exercice du courage invoqué plus haut ? Car quelle sorte de courage fallait-il convoquer pour se retrouver bien installé dans un transat de toile (sans oreillettes) au bord d'une rivière, à noter des bribes mentales, de minimes incidents réjouissants du quotidien, tout en contemplant le jeu de la lumière à la surface de l'Yonne ? Cela, tandis que tant de mes contemporains devaient se tenir enfermés dans leurs bureaux sous la lumière électrique, confinés derrière leurs écrans à ressasser des schémas insipides ou bien coincés dans les étroites carlingues de leurs véhicules, stressés par la peur du lendemain et celle de l'indignité à ne pouvoir assez consommer, bref tragiquement tenus à l'écart du simple bonheur d'exister qui s'exhalait ici autour de moi ?

Sans doute, oui, le seul courage nécessaire à cet exercice, avais-je alors cru déterminer, était celui de savoir résister à la culpabilité que pouvait engendrer un tel privilège — privilège dont on pouvait d'ailleurs se demander combien de temps il se maintiendrait encore, puisque, à coup sûr, la puissante et universelle « conjuration des imbéciles », si bien nommée par John Kennedy Toole dans son livre au titre éponyme, ne saurait trop longtemps laisser impunie l'insolente insouciance des réfractaires à l'ordre consumériste. Ignatius, le protagoniste du livre, le disait sans détour :

> Je me contente d'attendre le moment où l'on m'entraînera vers quelque cul-de-basse-fosse à air conditionné pour m'abandonner sous les lampes fluorescentes du plafond insonorisé afin de me faire payer le mépris que j'ai toujours éprouvé pour tout ce que chérissent mes contemporains dans leur petit cœur de latex[1].

Oui, à bien y songer, le seul recours possible, en cette situation de lente barbarie larvée, était bien de se cramponner, ainsi que le proposait Jean-François Duval, aux bribes poétiques, aux brèves épiphanies profanes qui — Dieu merci — s'offraient encore à profusion au détour du chemin.

Il y a peu, par une matinée brumeuse et froide, cheminant le long de l'allée des Cygnes qui relie le pont de Grenelle au pont de Bir-Hakeim, j'observais les péniches qui remontaient bravement le puissant courant de la Seine en crue, puis les nuées de mouettes criardes virevoltant dans le vent. J'avais alors avisé — seules autres

1. John Kennedy Toole, *La conjuration des imbéciles*, traduit de l'anglais par Jean-Pierre Carasso, 10/18, 2002.

présences le long de l'allée déserte en ce jour de semaine — deux vieux bonshommes s'avançant l'un vers l'autre ; l'un accompagné de trois petits chiens gambadant autour de lui et l'autre, muni d'une canne, claudiquant péniblement. Parvenu à une dizaine de mètres du boiteux que je venais de dépasser, le maître des chiens avait alors lancé à l'autre :

— Ah bé, ça fait plaisir de te revoir, vieille carcasse, je te croyais mort !

Et tous deux de se prendre les mains et de se congratuler, ravis de se retrouver. Je n'avais pu m'empêcher d'évoquer alors le poème accompagnant une très ancienne estampe chinoise qui montrait deux vieillards amis se rencontrant par hasard sur un petit pont franchissant la gorge d'un torrent de montagne — il y a près de deux mille ans ! —, « lesquels, commentait la légende calligraphiée, tandis que les feuilles ne cessent de tomber autour d'eux, rient tant et plus de se retrouver ainsi *encore en vie* au cœur de ce nouvel automne ».

Un peu plus tôt dans l'année (reçu à la résidence de la villa Montnoir près de Bailleul, à l'extrême limite de ces mythiques Flandres qui s'étendent de part et d'autre de la frontière), alors que je m'étais aventuré dans ma randonnée quotidienne jusqu'aux abords du village belge le plus proche, pressant le pas sur la minuscule route qui serpentait parmi les champs de betteraves pour tenter de rentrer avant la nuit et gagné par l'impression, au cœur du crépuscule précoce de ce plat pays à la tristesse insondable, de m'enfoncer toujours plus avant au royaume de la mélancolie, j'avais soudain entrevu, par les fenêtres sans rideaux d'une petite maison esseulée du bord de la route, deux garçons d'une quinzaine d'années en train de jouer, l'un du piano, l'autre du violon.

Plus récemment, lors de ma promenade habituelle le long des quais de la Seine, à cet endroit dit le « point du jour », entre le pont du Garigliano et le pont Mirabeau, j'ai croisé de nouveau ce grand escogriffe, très noir de peau, qui, la tête toujours couverte de la capuche de sa parka kaki d'où dépasse une épaisse chevelure crépue — à la mode traditionnelle des fous d'Afrique —, gîte sous une sorte de tente confectionnée avec des bouts de bâche plastique et sous laquelle il a entassé un amas impressionnant de couvertures. Lorsque je l'avais aperçu auparavant, il était sans cesse occupé à prendre des notes ou à effectuer des calculs savants sur un gros cahier à colonnes — ne prêtant pas la moindre attention à ce qui l'environnait.

Toutefois l'autre jour, par un temps radieux, tandis que le trafic fluvial battait son plein, que les pousseurs faisaient manœuvrer les barges de sable d'une rive à l'autre, que les bateaux-mouches, emplis de touristes, brassaient l'eau à grands remous, que la petite vedette des apprentis pilotes effectuait ses manœuvres, que celle, surpuissante, de la police fluviale passait en trombe dans une gerbe d'écume, qu'une bande de cormorans séchaient leurs ailes sur des pontons boueux, que les automobiles rageaient en contrebas sur les voies sur berge, que les joggeurs tournaient comme des automates autour du parc André-Citroën, et qu'enfin tout un peuple de SDF s'activaient autour de leurs cahutes de fortune sous les piles des ponts, je dépassai mon grand escogriffe muni d'une brosse, s'appliquant avec un soin méticuleux à épousseter le dessus du parapet en pierre qui borde le fleuve ! Lorsque je repassai en sens inverse, une heure plus tard, je pus constater que, toujours affairé au même nettoyage, il n'avait progressé que de deux centaines de mètres.

Dans un poème célèbre intitulé « Un jour à Kharkow », Valery Larbaud nous décrit plusieurs êtres — entraperçus au cours de ses voyages — se livrant à des gestes d'une touchante humanité et, déplorant de n'avoir pu les approcher, il conclut : « Car je ne sais pourquoi, mon Dieu, il me semble qu'avec eux j'aurais pu conquérir un monde[1]. » Il me semblait, à moi aussi, que si j'avais pu lier connaissance avec les différents personnages précédemment décrits (y compris le nettoyeur autiste), j'aurais également été en mesure non point peut-être de conquérir un monde mais, à tout le moins, de conserver à celui-ci une petite chance de survivre.

Un jour de novembre dernier, toujours en résidence dans le Nord et de retour d'un assommant salon littéraire où la foire d'empoigne — digne d'une comédie de Goldoni

1. Valery Larbaud, « Un jour à Kharkow », *Les Poésies de A. O. Barnabooth*, suivi de *Poésies diverses*, Gallimard, « Poésie/Gallimard », 1966.

— des ego écrivailleurs m'avait tout à la fois diverti dans un premier temps et consterné dans un second (m'auscultant sans cesse avec une certaine anxiété pour m'assurer de n'avoir pas été contaminé), sous un ciel bas à la sombre beauté sulfureuse, j'avais garé ma voiture sur la place principale de la petite ville d'Aire-sur-la-Lys (lorsque je m'étais extirpé de la carlingue de l'automobile, j'avais aperçu le propriétaire d'une friterie ambulante qui attendait de voir, avant de remballer, si je n'étais pas — hélas pour lui ! — l'ultime client providentiel de ce dimanche désolé), puis j'avais commencé de déambuler dans les rues désertes d'une ville fantomatique — les maisons aux volets clos laissant échapper parfois une ombre fugitive et comme prise en faute d'exister, courant s'engouffrer non loin de là dans une autre porte instantanément refermée, parfois encore un chat circonspect rasant les murs.

Aussi, après m'être acheté un pain aux raisins spongieux dans une boulangerie spectrale, où la boulangère semblait conspirer à voix basse avec une cliente emmitouflée dans un manteau trop large — comme si ces deux commères parachevaient par leurs probables médisances la désolation de ce bourg délaissé des dieux —, j'avais continué d'errer par les ruelles, longeant un canal boueux se ruant entre les façades des maisons avec une énergie presque démente (gonflé comme il l'était par les pluies torrentielles des jours précédents) pour finalement aboutir à une placette balayée par le vent où, à l'aplomb d'une large façade au fronton de laquelle était inscrit en lettres monumentales ÉCOLE DE GARÇONS, deux jeunes gamins trompaient leur ennui en tapant mollement dans un ballon de caoutchouc *rouge*.

Ils me regardèrent ébahis comme si j'étais une apparition surnaturelle, puis l'un d'eux, avisant mon appareil photographique, me demanda :

« Vous faites des photos de quoi, m'sieur ? »

Et en effet, la question était rien moins que pertinente. Je répondis :

« Je fais un reportage.

— Un reportage pour quoi, m'sieur ?

— Un reportage pour rien !

— Ah ouais d'accord, un reportage pour les photos, quoi !

— C'est ça !

— Et vous ne voulez pas nous prendre, Joël et moi ? Moi, c'est Franck !

— Si, si, d'accord, allez-y, mettez-vous là ! »

Et les faisant poser devant la façade de l'école, je pris le cliché, puis, après avoir bavardé quelques instants avec eux (ils voulaient savoir d'où je venais et quand je leur eus dit Paris, ils firent la moue), je les quittai en leur promettant d'envoyer la photo à l'adresse qu'ils m'avaient notée sur mon carnet. Tandis que je repartais, la pluie, comme pour ajouter à la tristesse dominicale de cette ville exsangue, se remit à crachiner, clôturant hermétiquement le ciel et en apparence aussi la moindre ébauche d'espérance. Mais j'avais le cliché dûment enregistré dans la petite boîte à images afin de témoigner un jour futur — il n'en fallait pas douter (?) — de l'offense qui fut faite ici, comme dans tant d'endroits ravagés par l'économie moderne dite « libérale », à des êtres ardents et tendres qui, comme ces deux-là, ne demandaient qu'à profiter, eux aussi, du petit privilège d'avoir été mis au monde pour jubiler un tant soit peu dans l'existence. Par bonheur, lorsque je me fus éloigné d'une centaine de mètres, je les entendis rire dans mon dos, se moquant de mon intrusion fantastique dans leur univers. C'était au moins ça — ce ridicule citadin dont se gausser — que je leur avais apporté depuis Paris.

Quelques jours plus tard, je me rendis au fameux Musée de la piscine à Roubaix. Une fois entré dans cet espace aux vastes surfaces couvertes de mosaïques, avec les mezzanines ajourées donnant sur les anciens bassins et les multiples alvéoles des cabines courant tout autour, l'ensemble aménagé avec un véritable souci du confort des baigneurs, je n'avais pu qu'admirer la science architecturale qui avait présidé à cette réalisation des années trente désormais reconvertie en espace culturel. Alors que je m'avançais dans les allées, manifestement plus ébloui par l'ancien agencement des lieux (dont je prenais des clichés) que par les tableaux et les statues, pourtant tous splendides, qui y étaient exposés, un gardien d'origine maghrébine devinant mon véritable centre d'intérêt s'approcha de moi discrètement et me dit :

« Je venais nager ici quand j'étais môme et je

peux vous dire une chose : c'était la plus belle piscine de France !

— Dommage alors de ne pas l'avoir conservée comme piscine ! » dis-je.

Jetant un regard alentour afin de vérifier qu'aucun supérieur ne pouvait l'entendre, il me chuchota :

« Je suis tout à fait de votre avis ! »

Dernièrement, empruntant le célèbre pont des Arts à Paris — ce que je n'avais plus fait depuis un certain temps —, je découvris que les grillages qui garnissent les balustrades étaient constellés de milliers de petits cadenas refermés sur eux-mêmes où les amoureux avaient inscrit leurs noms au feutre indélébile. Cette coutume nouvelle, charmante au premier abord, me fit, en y repensant après coup, un effet troublant : comme si tous ces petits objets censés maintenir longuement le souvenir de leur passage sur la passerelle mythique (au-dessus de la belle eau verte de la Seine) étaient allégoriques de la profonde angoisse de mes contemporains dans un monde effectivement cadenassé de toutes parts.

À la suite de ces diverses évocations qui tentent de cerner poétiquement le point où je pourrais bien me situer sur l'océan houleux des temps actuels, il me semble que je ne puis terminer qu'avec ce récit d'une scène vécue à Paris, le 24 décembre dernier, dans l'après-midi précédant le réveillon de Noël.

C'était une journée de froid et de ciel bas où les flocons épars voletaient dans l'espace, une journée d'avant neige, mélancolique à souhait. Je m'étais longuement promené à pied le long des quais, puis dans les petites rues avoisinant la place Saint-Michel, jouissant comme chaque année à la même période de l'accalmie dans la course aux vanités, de la bonhomie cordiale qui règne alors sur la ville pendant quelques heures, bref de l'atmosphère de religiosité rémanente qui réinvestit subrepticement les plus mécréants et les plus cyniques d'entre nous — se souvenant alors d'avoir été, eux aussi, des enfants avides de merveilleux pour qui une rue enneigée ne représentait nullement une source d'embarras.

Après avoir ainsi déambulé dans les rues secrètement transfigurées, j'avais fini par atterrir dans la minuscule boutique, si tranquille, de mon réparateur habituel, en quête d'une nouvelle pompe à encre pour mon stylo — lequel, je tiens à le signaler, me ravit par l'élégance de son profilage et la souplesse de sa plume. Cette boutique est tenue par deux vieux garçons d'un style tout à fait passé de mode (doux, ultraméticuleux, un peu égarés, très lents, l'un d'eux affecté d'un zézaiement tenace). Tandis que celui qui était inoccupé à mon entrée dans la boutique répondait avec une extrême affabilité à ma requête, examinant minutieusement mon stylo, l'autre (le zézayeur) s'était mis en demeure d'expliquer par le menu le maniement d'un couteau suisse multifonction à un jeune homme du style grand boy-scout attardé, apparemment fort désireux d'en faire l'acquisition.

La boutique entière, à peine tirée de la demi-pénombre par son faible plafonnier et ses lampes basses, baignait dans un éclairage évoquant des temps révolus. Dehors, la neige s'était mise à tomber résolument et la lumière du crépuscule de fin d'après-midi nimbait chaque chose d'une délicate aura luminescente. Le vendeur au couteau n'en finissait plus de déplier et de replier les multiples lames, de préciser les fonctions et de livrer ses commentaires zézayants adressés au boy-scout qui l'écoutait religieusement, tandis que le mien, farfouillant dans une série de boîtes en carton extirpées des tiroirs en bois verni tapissant les murs, s'évertuait à dénicher la pompe adaptée... et moi, d'un seul coup, je me sentis parfaitement à ma place dans ce décor et cette atmosphère intemporelle — quasi balzacienne ou flaubertienne — d'un Paris soudain rendu à sa vocation poétique et désuète de haute civilisation, je veux dire une grande ville pour un moment redevenue languissante et où il était encore loisible, au fond d'antres urbains de ce type et pour d'improbables avatars de Bouvard et Pécuchet tels que nous, de prêter une attention vétilleuse aux petits riens superflus qui sont le sel de la vie.

Le dur hiver a restreint l'horizon et pluies
et neiges font descendre Jupiter des cieux ;
tantôt la mer, tantôt les forêts
grondent sous l'aquilon de Thrace. Amis,
arrachons au jour
un moment, et tant que nos genoux ont leur verdeur
et qu'il se doit d'en être ainsi, chassons
la vieillesse de nos fronts assombris.

Toi, sers-nous un vin imprégné sous le consulat
de Torquatus, l'année de ma naissance.
Le reste n'en parle pas.
Peut-être qu'un dieu, dans sa bienveillance,
remettra tout en l'état...

Horace, 21 après J.-C.[1]

1. Traduit du latin et cité par Pascale Roze dans son livre sur Horace intitulé *Un homme sans larmes*, Stock, 2005.

COLLECTION FOLIO 2€

Dernières parutions

4839. Julian Barnes	*À jamais* et autres nouvelles
4840. John Cheever	*Une américaine instruite* précédé d'*Adieu, mon frère*
4841. Collectif	*«Que je vous aime, que je t'aime!» Les plus belles déclarations d,amour*
4842. André Gide	*Souvenirs de la cour d'assises*
4843. Jean Giono	*Notes sur l'affaire Dominici* suivi d'*Essai sur le caractère des personnages*
4844. Jean de La Fontaine	*Comment l'esprit vient aux filles* et autres contes libertins
4845. Yukio Mishima	*Papillon* suivi de *La lionne*
4846. John Steinbeck	*Le meurtre* et autres nouvelles
4847. Anton Tchekhov	*Un royaume de femmes* suivi de *De l'amour*
4848. Voltaire	*L'Affaire du chevalier de La Barre* précédé de *L,Affaire Lally*
4875. Marie d'Agoult	*Premières années (1806-1827)*
4876. Madame de Lafayette	*Histoire de la princesse de Montpensier* et autres nouvelles
4877. Madame Riccoboni	*Histoire de M. le marquis de Cressy*
4878. Madame de Sévigné	*«Je vous écris tous les jours...» Premières lettres à sa fille*
4879. Madame de Staël	*Trois nouvelles*
4911. Karen Blixen	*Saison à Copenhague*
4912. Julio Cortázar	*La porte condamnée* et autres nouvelles fantastiques
4913. Mircea Eliade	*Incognito à Buchenwald...* précédé d'*Adieu!...*
4914. Romain Gary	*Les Trésors de la mer Rouge*

4915. Aldous Huxley — *Le jeune Archimède* précédé de *Les Claxton*
4916. Régis Jauffret — *Ce que c'est que l'amour* et autres microfictions
4917. Joseph Kessel — *Une balle perdue*
4918. Lie-tseu — *Sur le destin* et autres textes
4919. Junichirô Tanizaki — *Le pont flottant des songes*
4920. Oscar Wilde — *Le portrait de Mr. W.H.*
4953. Eva Almassy — *Petit éloge des petites filles*
4954. Franz Bartelt — *Petit éloge de la vie de tous les jours*
4955. Roger Caillois — *Noé* et autres textes
4956. Jacques Casanova — *Madame F.* suivi d'*Henriette*
4957. Henry James — *De Grey, histoire romantique*
4958. Patrick Kéchichian — *Petit éloge du catholicisme*
4959. Michel Lermontov — *La princesse Ligovskoï*
4960. Pierre Péju — *L'idiot de Shanghai* et autres nouvelles
4961. Brina Svit — *Petit éloge de la rupture*
4962. John Updike — *Publicité* et autres nouvelles
5010. Anonyme — *Le petit-fils d'Hercule. Un roman libertin*
5011. Marcel Aymé — *La bonne peinture*
5012. Mikhaïl Boulgakov — *J'ai tué* et autres récits
5013. Sir Arthur Conan Doyle — *L'interprète grec* et autres aventures de Sherlock Holmes
5014. Frank Conroy — *Le cas mystérieux de R.* et autres nouvelles
5015. Sir Arthur Conan Doyle — *Une affaire d'identité* et autres aventures de Sherlock Holmes
5016. Cesare Pavese — *Histoire secrète* et autres nouvelles
5017. Graham Swift — *Le sérail* et autres nouvelles
5018. Rabindranath Tagore — *Aux bords du Gange* et autres nouvelles
5019. Émile Zola — *Pour une nuit d'amour* suivi de *L'inondation*
5060. Anonyme — *L'œil du serpent. Contes folkloriques japonais*
5061. Federico García Lorca — *Romancero gitan* suivi de *Chant funèbre pour Ignacio Sanchez Mejias*

5062. Ray Bradbury	*Le meilleur des mondes possibles* et autres nouvelles
5063. Honoré de Balzac	*La Fausse Maîtresse*
5064. Madame Roland	*Enfance*
5065. Jean-Jacques Rousseau	*« En méditant sur les dispositions de mon âme... »* et autres rêveries, suivi de *Mon portrait*
5066. Comtesse de Ségur	*Ourson*
5067. Marguerite de Valois	*Mémoires. Extraits*
5068. Madame de Villeneuve	*La Belle et la Bête*
5069. Louise de Vilmorin	*Sainte-Unefois*
5120. Hans Christian Andersen	*La Vierge des glaces*
5121. Paul Bowles	*L'éducation de Malika*
5122. Collectif	*Au pied du sapin. Contes de Noël*
5123. Vincent Delecroix	*Petit éloge de l'ironie*
5124. Philip K. Dick	*Petit déjeuner au crépuscule* et autres nouvelles
5125. Jean-Baptiste Gendarme	*Petit éloge des voisins*
5126. Bertrand Leclair	*Petit éloge de la paternité*
5127. Alfred de Musset - George sand	*« Ô mon George, ma belle maîtresse... » Lettres*
5128. Grégoire Polet	*Petit éloge de la gourmandise*
5129. Paul Verlaine	*L'Obsesseur précédé d'Histoires comme ça*
5163. Akutagawa Ryûnosuke	*La vie d'un idiot* précédé d'*Engrenage*
5164. Anonyme	*Saga d'Eiríkr le Rouge* suivi de *Saga des Groenlandais*
5165. Antoine Bello	*Go Ganymède!*
5166. Adelbert von Chamisso	*L'étrange histoire de Peter Schlemihl*
5167. Collectif	*L'art du baiser. Les plus beaux baisers de la littérature*
5168. Guy Goffette	*Les derniers planteurs de fumée*
5169. H. P. Lovecraft	L'horreur de Dunwich
5170. Léon Tolstoï	*Le diable*

5184. Alexandre Dumas	*La main droite du sire de Giac* et autres nouvelles
5185. Edith Wharton	*Le miroir suivi de Miss Mary Pask*
5231. Théophile Gautier	*La cafetière* et autres contes fantastiques
5232. Claire Messud	*Les Chasseurs*
5233. Dave Eggers	*Du haut de la montagne, une longue descente*
5234. Gustave Flaubert	*Un parfum à sentir ou Les Baladins* suivi de *Passion et vertu*
5235. Carlos Fuentes	*En bonne compagnie* suivi de *La chatte de ma mère*
5236. Ernest Hemingway	*Une drôle de traversée*
5237. Alona Kimhi	*Journal de berlin*
5238. Lucrèce	*« L'esprit et l'âme se tiennent étroitement unis ». Livre III de « De la nature »*
5239. Kenzaburô Ôé	*Seventeen*
5240. P. G. Wodehouse	*Une partie mixte à trois* et autres nouvelles du green
5290. Jean-Jacques Bernard	*Petit éloge du cinéma d'aujourd'hui*
5291. Jean-Michel Delacomptée	*Petit éloge des amoureux du Silence*
5292. Mathieu Térence	*Petit éloge de la joie*
5293. Vincent Wackenheim	*Petit éloge de la première fois*
5294. Richard Bausch	*Téléphone rose* et autres nouvelles
5295. Collectif	*Ne nous fâchons pas ! ou L'art de se disputer au théâtre*
5296. Robin Robertson	*Fiasco ! Des écrivains en scène*
5297. Miguel de Unamuno	*Des yeux pour voir* et autres contes
5298. Jules Verne	*Une fantaisie du Docteur Ox*
5299. Robert Charles Wilson	*YFL-500* suivi du *Mariage de la dryade*
5347. Honoré de Balzac	*Philosophie de la vie conjugale*
5348. Thomas De Quincey	*Le bras de la vengeance*
5349. Charles Dickens	*L'embranchement de Mugby*
5350. Épictète	*De l'attitude à prendre envers les tyrans*

5471. Martin Winckler	*Petit éloge des séries télé*
5523. E.M. Cioran	*Pensées étranglées* précédé du *Mauvais démiurge*
5524. Dôgen	*Corps et esprit. La Voie du zen*
5525. Maître Eckhart	*L'amour est fort comme la mort* et autres textes
5526. Jacques Ellul	« *Je suis sincère avec moi-même* » et autres lieux communs
5527. Liu An	*Du monde des hommes. De l'art de vivre parmi ses semblables*
5528. Sénèque	*De la providence* suivi de *Lettres à Lucilius (lettres 71 à 74)*
5529. Saâdi	*Le Jardin des Fruits. Histoires édifiantes et spirituelles*
5530. Tchouang-tseu	*Joie suprême* et autres textes
5531. Jacques De Voragine	*La Légende dorée. Vie et mort de saintes illustres*
5532. Grimm	*Hänsel et Gretel* et autres contes
5589. Saint Augustin	*L'Aventure de l'esprit et autres Confessions*
5590. Anonyme	*Le brahmane et le pot de farine. Contes édifiants du Pañcatantra*
5591. Simone Weil	*Pensées sans ordre concernant l'amour de Dieu* et autres textes
5592. Xun zi	*Traité sur le Ciel* et autres textes
5606. Collectif	*Un oui pour la vie ? Le mariage en littérature*
5607. Éric Fottorino	*Petit éloge du Tour de France*
5608. E. T. A. Hoffmann	*Ignace Denner*
5609. Frédéric Martinez	*Petit éloge des vacances*
5610. Sylvia Plath	*Dimanche chez les Minton* et autres nouvelles
5611. Lucien	« *Sur des aventures que je n'ai pas eues* ». *Histoire véritable*
5631. Boccace	*Le Décaméron. Première journée*
5632. Isaac Babel	*Une soirée chez l'impératrice* et autres récits